Jean Richepin

LA CHANSON DES GUEUX

Copyright pour le texte et la couverture © 2023 Culturea
Edition : Culturea (culurea.fr), 34 Hérault
Contact : infos@culturea.fr
Impression : BOD, Norderstedt (Allemagne)
ISBN :9791041835485
Date de publication : juillet 2023
Mise en page et maquettage : https://reedsy.com/
Cet ouvrage a été composé avec la police Bauer Bodoni
Tous droits réservés pour tous pays.

SIMPLE AVIS

Pour, quoique écrit en manière de post-scriptum, servir d'ante-scriptum

À LA PRÉFACE CI-APRÈS

Quels damnés hurluberlus que ces poètes ! En relisant (trop tard, car elle était déjà imprimée) ma très longue préface, je m'aperçois qu'elle n'est pas assez longue encore, puisque je n'y ai rien dit touchant la composition de cette édition définitive.

Si définitive qu'elle soit, j'ai le regret d'annoncer aux amateurs de choses prohibées qu'ils n'y trouveront point les pièces supprimées par la justice. À l'impossible nul n'est tenu, et je ne puis pas faire que la condamnation n'existe pas. En vain ai-je fouillé en tous sens ma fertile imaginative, je n'ai su inventer aucun biais pour tourner l'impossibilité susdite.

– Que penseriez-vous, ai-je dit à mon éditeur, d'une traduction des vers défendus, d'une traduction en latin, par exemple, dans cette merveilleuse langue qui *brave l'honnêteté ?*

– Les magistrats, me répondit-il, reconnaîtraient vos gredins de mots en rupture de ban, et nous repinceraient au demi-cercle, si j'ose m'exprimer ainsi.

– Ils savent donc le latin ?

– Comme le français.

– C'est peu.

Je me rabattis sur le grec. Mais mon éditeur, qui pense à tout, me fit observer qu'en ce temps où tout le monde apprend le grec, personne ne le sait, pas même les professeurs qui l'enseignent, et qu'ainsi, moi qui le sais jusqu'à l'accentuation inclusivement, j'aurais l'air de vouloir étaler ma puissante érudition.

Finalement il me conseilla, si je tenais *mordicus* à traduire mes ordures, de les traduire dans la langue la plus inconnue que je pourrais imaginer, et il me démontra subtilement que c'était encore là le moyen le plus sûr pour éviter les nouvelles poursuites.

Je songeai alors à la langue kachikale, qui n'est pas, en effet, d'une notoriété mirobolante. Mais hélas il n'en existe qu'une seule chaire dans le monde entier, et cette chaire se trouve à l'Université de Guatémala. C'était un long voyage à entreprendre, de grosses dépenses à faire et beaucoup de temps à perdre. Je dus renoncer à ce dessein.

Un moment je m'arrêtai au choix de la langue hollandaise, qui me semble aussi jouir d'une assez suave obscurité. Mais j'appris qu'un certain docteur Goripius, dans un livre publié à Anvers, en 1580, a prouvé qu'on parlait hollandais au paradis. Je ne pouvais décemment, pour déguiser des mots repris de justice, avoir recours à ce patois angélique.

Non ; il n'y avait pas à dire, il fallait courber la tête, s'avouer vaincu et boire le calice de la condamnation jusqu'à la lie. Les pièces supprimées sont bien et dûment supprimées. À moins que la librairie belge ne s'en mêle, on en doit faire son deuil.

Très petit deuil, d'ailleurs, qu'on ne l'ignore pas.

En somme, la main pudique de la justice n'a, dans le bouquet de la *Chanson des Gueux*, arraché que deux fleurs entières, tout à fait vénéneuses, celles-là, paraît-il : la *Ballade de joyeuse vie* et le *Fils de fille*. Pour le reste, elle s'est contentée de retrancher par-ci par-là quelques pétales comme dans *Idylle de pauvres* et *Frère, il faut vivre*, ou de couper une queue comme dans *Voyou*. À part ces cinq mutilations, le livre est donc ici tel qu'il a été publié pour la première fois.

Tel ? non pas absolument. Je l'ai, en effet, quelque peu remis sur l'établi, et retravaillé en plus d'un endroit. Mais ce ne fut point avec des idées moralisatrices et castratoires, sarpejeu ! Ce fut uniquement comme un bon et consciencieux ouvrier qui, ayant trouvé des fautes, les corrige, et ayant aperçu des trous, les bouche.

C'est ainsi que le livre s'est peu à peu augmenté non-seulement de développements nouveaux ajoutés à certaines pièces anciennes, mais aussi et surtout de trente-cinq poèmes inédits qui le complètent, et qui font donc véritablement de cette édition, une édition définitive, si tant est qu'il y ait quelque chose de définitif en ce monde sublunaire et transitoire, où tout coule, comme dit Héraclite le ténébreux, où les empires s'effondrent, où les pyramides s'effritent et où la magistrature elle-même sent s'affaisser lentement sous elle son rond-de-cuir inamovible.

J. R.

PRÉFACE

Ce livre est non-seulement un mauvais livre, mais encore une mauvaise action.

Là, maintenant, benoît lecteur, te voilà dûment averti ; et il ne faudra pas t'en prendre à moi, si tu échanges ton bon argent contre ces méchants vers et si tu emportes au sein de ta famille une semblable ordure.

Pour achever de te mettre en garde, permets-moi d'ajouter que le critique, auteur de la phrase ci-dessus imprimée en italiques, devait être dans le vrai ; car, sur son aimable dénonciation, la Justice ayant dressé l'oreille, puis un procès-verbal, m'a fait asseoir au banc de la Correctionnelle (où m'avaient précédé quelques escrocs et où m'ont succédé des gens du troisième sexe), et là, parlant à ma personne par la bouche d'un monsieur grave, vêtu d'une robe noire, m'a condamné à trente jours de prison, que j'ai faits, à cinq cents francs d'amende, plus des frais, que j'ai payés, et m'a stigmatisé à l'indignation de mes contemporains, comme un homme convaincu du délit d'outrage aux bonnes mœurs.

Après la lecture de cet aveu pénible, mais sincère, j'espère pour ta pudeur, ô lecteur honorable, père prudent, époux irréprochable, que tu vas fermer ce livre malsain, le reposer du bout des doigts dans la devanture où il étale cyniquement sa honte, et courir chez ta maîtresse pour te consoler un peu de la dépravation lamentable qui sévit sur les lettres françaises.

Que si, nonobstant, tu as la conscience plus large que mon critique n'avait l'esprit, si tu ne veux point t'en rapporter à son jugement, non plus à celui du tribunal, et que tu me demandes mon humble avis sur leur avis, je suis prêt à te le donner, et je te prie de continuer à lire cette préface, après avoir toutefois accepté mes plus doux remerciements pour cette tant gracieuse condescendance.

Et d'abord, quant au critique, je te dirai qu'il m'est difficile d'en parler et d'apprécier sa valeur littéraire ou morale, vu qu'il était anonyme. Tout ce que je puis t'en apprendre, c'est qu'il était à cheval sur les principes, qu'il en profita pour pousser une charge à fond de train contre mon indignité, que son encre de la grande vertu lui servit à me débarbouiller de noires injures pendant deux colonnes, sous prétexte de me laver la tête, et qu'enfin cette austérité farouche florissait dans un journal comique, comme un chardon hérissé dans un champ d'herbes folles.

Pour peu que tu y tiennes, je ne te cèlerai point le nom de ce journal, qui s'appelle le *Charivari* ; et, si tu as du loisir et de la curiosité, tu pourras, en feuilletant la collection de 1875 ou 1876, retrouver cette fougueuse mercuriale au nom de la morale outragée. Elle est encadrée entre des nouvelles à la main farcies de calembours, de gaudrioles, qui n'ont rien de sévère, et dont la gaieté va même parfois jusqu'à l'égrillard. Chemin faisant, tu rencontreras des dessins, que pour ma part je déclare charmants au possible, mais qui devaient singulièrement choquer la pudeur d'éléphant de mon censeur. Imagine-toi des femmes en toilette négligée, voire d'aucunes en chemise, prenant devant des messieurs des poses que souligne à l'occasion une légende gaillarde. Elles te plairont, à coup sûr, ces coquines signées Grévin ; mais tu avoueras sans doute avec moi que leurs genoux provoquants ne pouvaient manquer de rendre écarlate celui de notre respectable moraliste.

N'importe ! Passe en souriant, et, pour te punir de tes velléités polissonnes, avale d'un bout à l'autre le sermon où il est péremptoirement et doctoralement proclamé que je suis un piètre écrivain et un malhonnête homme. Tu en tireras au moins cet enseignement profitable, à savoir qu'il faut empêcher tes enfants de faire des vers, puisque cela conduit à être ainsi vilipendé, traîné dans la boue, dénoncé comme un malfaiteur, et transformé finalement en gibier de prison.

À vrai dire, comme je serais désolé que tu empêchasses un poète d'éclore pour illustrer ton nom, je dois te confesser que ces conséquences terribles ne laissent pas d'être, en somme, fort anodines, et qu'on n'est pas plus infâme qu'il ne faut pour avoir essuyé de telles insultes. Force braves gens ont passé par là, qui ne s'en portent pas plus mal. Moi-même, ainsi que tu peux le constater, je n'en ai pas conservé la moindre peine. Je t'en parle sans fiel, sans me poser en martyr. Et de quoi diable me plaindrais-je ? Il y a de par le monde une assez grande quantité de personnes, parfaitement honorables, qui me serrent encore la main, comme si je n'étais pas déshonoré. Il y en a aussi qui n'ont pas trouvé mon livre à ce point mauvais ; car ils l'ont acheté, l'ont fait acheter à leurs amis et connaissances, m'en ont adressé des éloges ; et j'en sais une demi-douzaine qui le mettent en bonne place dans leur bibliothèque, jusqu'à l'avoir orné d'une reliure riche, le traitant à la façon d'une belle créature que son amoureux croit digne d'une belle robe. Tu vois bien que notre souteneur de la vertu, notre porte-queue du bon goût, n'avait pas tant raison et n'a pas produit tant d'effet.

Donc, toute réflexion faite, ne défends pas à ton fils d'être poète, s'il le veut, et s'il le peut. Au besoin même, console-le d'avance des attaques de la critique par cet adage latin : *Censura perit, scriptum manet*. Au cas où il ne saurait pas le latin, apprends-lui ce délicieux proverbe turc : *Le chien aboie, mais la caravane passe*.

Pour ce qui touche à la Justice, tu me permettras d'imiter le bon soldat, qui, au dire de M. Scribe, doit souffrir et se taire dans murmurer.

Outre qu'il est toujours inutile et souvent même dangereux de rétipoler contre elle, il me semble qu'en ce qui me concerne, cela serait particulièrement sot, et (si j'ose avancer un paradoxe) souverainement injuste.

Voilà qui va t'étonner sans doute ; car tu t'attendais à une verte diatribe de ma part, et je te vois d'ici, te pourléchant déjà les badigoinces, à l'idée des épigrammes plus ou moins aigres que ne peut manquer de distiller, penses-tu, ma bile rancunière à l'égard des magistrats. Il m'en coûte de te frustrer d'un pareil régal ; mais le fait est que je n'ai aucune bile sur le cœur. Loin de là, je plains mes juges, au lieu de leur en vouloir ; et je considère qu'en l'occurrence de mon accusation et de ma condamnation ils ont été, tout comme moi, des victimes.

Ton étonnement redouble. Peut-être aussi crois-tu que j'emploie malicieusement la figure de rhétorique appelée ironie. Détrompe-toi : je parle en toute sincérité. Pour bien comprendre ce que je veux dire, fais ce que j'ai fait moi-même avant de juger mes juges, mets-toi à leur place, et vois si vraiment ils ont commis quoi que ce soit dont il m'appartienne de les blâmer.

Crois-tu donc qu'ils aient eu, eux personnellement, un acharnement quelconque à me poursuivre ? Pas du tout. Ils n'avaient pas même lu, sans doute, ce livre de vers, ayant beaucoup trop de besognes sur les bras, et de trop graves besognes, pour s'aller distraire aux folies sonores de ma chanson. Mais voici que les journaux mordent ce livre, et un concert d'abois s'élève, depuis les jappements en fausset, jusqu'au grognement féroce du gros mâtin, chien de garde de la vertu, qui s'écrie que j'ai commis une mauvaise action. La foule s'amasse au bruit. – Qu'y a-t-il ? – Quoi ? – Qu'est-ce ? – C'est un ivrogne qui insulte le bon goût, un cynique qui outrage les bonnes mœurs. – À la garde ! À la garde ! – Et la garde est venue. Est-ce sa faute ? Non. C'est la faute des imbéciles qui ont crié. C'est la faute des roquets qui ont donné de la voix. C'est la faute surtout du dénonciateur qui a le premier montré du doigt mon livre, et qui, en déclarant sa pudeur indignée, ma désigné comme impudique.

La presse à la prétention et la réputation de représenter l'opinion publique. Conclusion fatale pour moi : l'opinion publique était révoltée. Étant révoltée, il la fallait apaiser. Comment l'apaiser, sinon sur mon dos ? Enchaînement logique des faits : on dut me traduire en justice et me condamner. Mais est-ce bien à cet *on,* c'est-à-dire aux magistrats, que je dois m'en prendre de ma mésaventure ? Conviens avec moi que non, ô lecteur raisonnable. S'ils m'ont cru et jugé coupable, c'est qu'ils ne

8/241

pouvaient faire autrement, devant le haro poussé sur moi par les soi-disant truchements de l'opinion publique ; et je ne saurais conserver de rancune qu'à rencontre de ceux de mes confrères qui ont abusé de leur qualité d'hommes de plume pour clabauder en cette occasion comme des oies du Capitole.

Mais si, d'un côté, je n'ai rien à te dire de mon critique, que je ne connais pas, et si de l'autre je me refuse à t'égayer de quelques plaisanteries sur la Justice, avec qui je ne veux pas renouer connaissance, peut-être trouveras-tu, ô lecteur sagace, que je me suis moqué de toi, en t'entraînant à travers les papotages capricants et giratoires d'une préface absolument inutile. Au moins désirerais-tu, puisque tu as tant fait que de te montrer aussi bénévole, rencontrer ici de solides raisons, et que je prisse la peine de te prouver par arguments démonstratifs cette innocence dont je me targue en dépit de la Critique et de la Justice. Je confesse que tu n'as pas tort. Aussi bien est-ce à toi, c'est-à-dire au public, que je dois en appeler, et en dernier ressort, de la sentence qui m'a frappé. En d'autres termes, tu as le droit d'exiger de moi un plaidoyer en règle. Quel biais admirable j'ai imaginé là pour t'infliger ce plaidoyer ! Donc tu l'auras, tu vas l'avoir, dût ta longanimité être mise à l'épreuve. Veuille, je t'en prie, choisir un bon fauteuil, puis un bon cigare, allumer celui-ci, installer confortablement ton précieux individu dans l'autre, et me prêter toute l'attention dont tu es capable.

Pas d'exorde insinuant ! J'entre en matière *ex abrupto*. Ô sainte Logique, soyez-moi propice ! Il s'agit de reconquérir l'estime de mes semblables, dont on m'a séparé pendant un mois comme une brebis galeuse, ou plutôt comme un bélier lubrique qui avait en trop ce que les moutons plus sages ont en moins !

La *Chanson des Gueux* a été reconnue coupable et dans la forme et dans le fond, deux chefs d'accusation que je me propose de réfuter, en procédant par ordre.

Ici je devrais dire : *primo, la* forme ! *Primo,* donc, si tu le désires, la forme !

La forme ! J'avoue ne pas comprendre encore en quoi la crudité du style est immorale. On la peut trouver inutile, de mauvais ton, répugnante. J'accorde tout cela. Je fais d'ailleurs mes réserves. Il y a là une question littéraire à élucider, laquelle nous entraînerait trop loin. Tout d'abord, me retranchant derrière la sagesse des nations qui dit que « des goûts et des couleurs il ne faut pas discuter, » je pourrais arguer du nombre de mes lecteurs, pour prouver que nous sommes plusieurs ayant le mauvais goût d'avoir un autre goût que le soi-disant bon goût, et soutenant que notre mauvais goût est fort bon. Je ne manquerais pas non plus d'avancer cette thèse évidemment juste, à savoir que les mots valent par la place où ils sont, et changent d'aspect selon les lieux où ils se disent, et je citerais comme exemple certain vocable, immonde dans un salon, qui est devenu sublime sur le champ de bataille de Waterloo. Mais je ne veux pas m'attarder à ces ratiocinations de pure rhétorique. Je passe donc condamnation sur ma grossièreté, sur ma crudité. Il est entendu que je suis un mal élevé, un lâcheur de gros mots, un vilain dégoûtant. Qu'est-ce que cela établit contre ma moralité ? Mon livre excite-t-il à la débauche, au vice, au crime ? Voilà ce qu'il fallait démontrer. Or, je nie qu'on puisse le faire. La gauloiserie, les choses désignées par leur nom, la bonne franquette d'un style en manches de chemise, la gueulée populacière des termes propres, n'ont jamais dépravé personne. Cela n'offre pas plus de dangers que le nu de la peinture et de la statuaire, lequel ne paraît sale qu'aux chercheurs de saletés.

Ce qui trouble l'imagination, ce qui éveille les curiosités malsaines, ce qui peut corrompre, ce n'est pas le marbre, c'est la feuille de vigne qu'on lui met, cette feuille de vigne qui raccroche les regards, cette feuille de vigne qui rend honteux et obscène ce que la nature a fait sacré.

Mon livre n'a point de feuille de vigne et je m'en flatte. Tel quel, avec ses violences, ses impudeurs, son cynisme, il me paraît autrement moral que certains ouvrages, approuvés cependant par le bon goût, patronnés même par la vertu bourgeoise, mais où le libertinage passe sa tête de serpent tentateur entre les périodes fleuries, où l'odeur mondaine du Lubin se marie à des relents de marée, où la poudre de riz qu'on vous jette aux yeux a le montant pimenté du diablotin, romans d'une corruption raffinée, d'une pourriture élégante, qui cachent des moxas vésicants sous leur style tempéré, aux fadeurs de cataplasme. La voilà, la littérature immorale ! C'est cette *belle et honneste dame* fardée, maquillée, avec un livre de messe à la main, et dans ce livre des photographies obscènes, baissant les yeux pour les mieux faire en coulisse, serrant pudiquement les jambes pour jouer plus allègrement de la croupe, et portant au coin de la lèvre, en guise de mouche, une mouche cantharide. Mais, morbleu ! ce n'est pas la mienne, cette littérature !

La mienne est une brave et gaillarde fille, qui parle gras, je l'avoue, et qui gueule même, échevelée, un peu ivre, haute en couleur, dépoitraillée au grand air, salissant ses cottes hardies et ses pieds délurés dans la glu noire de la boue des faubourgs ou dans l'or chaud des fumiers paysans, avec des jurons souvent, des hoquets parfois, des refrains d'argot, des gaietés de femme du peuple, et tout cela pour le plaisir de chanter, de rire, de vivre, sans arrière-pensée de luxure, non comme une mijaurée libidineuse qui laisse voir un bout de peau afin d'attiser les désirs d'un vieillard ou d'un galopin, mais bien comme une belle et robuste créature, qui n'a pas peur de montrer au soleil ses tétons gonflés de sève et son ventre auguste où resplendit déjà l'orgueil des maternités futures.

Par la nudité chaste, par la gloire de la nature, si cela est immoral, eh bien ! alors, vive l'immoralité ! Vive cette immoralité superbe et saine, que j'ai l'honneur de pratiquer après tant de génies devant qui l'humanité s'agenouille, après tous les auteurs anciens, après nos vieux maîtres français, après le roi Salomon lui-même, qui ne mâchait guère sa façon de dire, et dont le *Cantique des Cantiques,* si admirable, lui vaudrait aujourd'hui un jugement à huis clos. Immoral je suis donc, et immoral je resterai, me trouvant en trop noble compagnie pour chercher mieux. En dépit de toutes les critiques et même de toutes les magistratures du monde, je n'arriverai jamais à comprendre en quoi la franchise et la sincérité outragent les bonnes mœurs, je continuerai à les outrager plutôt que d'emburelucoquer mes phrases ainsi que des catins dans un peignoir de dentelles, et je renonce définitivement à l'estime des honnêtes gens, s'il faut, pour l'obtenir, savoir tremper ses doigts dans certaines cuvettes comme si on y prenait de l'eau bénite.

J'ai dit tout à l'heure : *primo,* la forme ! Me voilà forcé de mettre ici : *secundo,* le fond ! *Secundo,* donc, si tu l'exiges, le fond !

Mon style mis ainsi hors de cause, reste à examiner si c'est à bon droit qu'on a condamné la pensée même de mon livre, le fond caché sous cette forme.

Au dire de mes détracteurs et de mes juges, je me serais livré sciemment à l'apologie de la crapule, et j'érigerais en théorie la paresse, l'ivrognerie, la débauche, le proxénétisme, le vol et diverses autres abominations. Quelques esprits subtils, mais illogiques, ont même vu dans la *Chanson des Gueux* une apothéose du peuple, comme si le peuple avait l'apanage de tous les vices, ou comme si j'étais assez maladroit, voulant lui faire ma cour, pour ne chanter que ses maladies et ses difformités !

La vérité est que j'ai représenté, non pas le peuple, mais les gueux, et que mes vers ne contiennent ni une théorie, ni une apologie de quoi que ce soit, mais des études, des peintures, et surtout des vers.

Naturellement, mon sujet une fois posé, j'ai dû faire penser, parler et agir mes personnages ainsi qu'ils pensent, parlent et agissent en réalité. Que diable ! je ne pouvais cependant pas donner à mes drôlesses des rougeurs de rosières, à mes voyous les manières du grand monde, à un tire-laine les idées de feu M. de Montyon, ni changer en salon parlementaire le zinc des mastroquets, ni mettre dans la casquette en ballon d'un procureur de filles la raideur majestueuse qu'on vénère dans celle qui s'appelle toque sur le front d'un procureur à la Cour.

Par ces concessions au bon goût, peut-être eussé-je mieux mérité de la morale ; mais, à coup sûr, j'eusse démérité des lettres. Nous autres écrivains (y compris moi qui suis pourtant, comme on sait, un malhonnête homme), nous avons une probité, une façon de point d'honneur ; et cette probité, ce point d'honneur, exigent impérieusement, quand nous affichons la prétention d'exprimer un coin de la vie, que nous ne fassions pas blanc ce qui est noir, ni rose tendre, ni même rose du tout, ce qui est rouge vif. J'ai pratiqué de mon mieux cette vertu artistique, et, loin de m'en repentir, je dois reconnaître que j'en suis fier.

Je dirai même plus : j'aime les héros, mes pauvres gueux lamentables, et lamentables à tous les points de vue ; car ce n'est pas seulement leur costume, et c'est aussi leur conscience, qui est en loques. Je les aime, non à cause de cela, mais parce que j'ai compris cela, parce que j'ai arrêté mes regards sur leur misère, fourré mes doigts dans leurs plaies, essuyé leurs pleurs sur leurs barbes sales, mangé de leur pain amer, bu de leur vin qui soûle, et que j'ai, sinon excusé, du moins expliqué leur manière étrange de résoudre le problème du combat de la vie, leur existence de raccroc sur les marges de la société, et aussi leur besoin d'oubli, d'ivresse, de joie, et ces oublis de tout, ces ivresses épouvantables, cette joie que nous trouvons grossière, crapuleuse, et qui est la joie pourtant, la belle joie au rire épanoui, aux yeux trempés, au cœur ouvert, la joie jeune et humaine, comme le soleil est toujours le soleil, même sur les flaques de boue, même sur les caillots de sang.

Et j'aime encore ce je ne sais quoi qui les rend beaux, nobles, cet instinct de bête sauvage qui les jette dans l'aventure, mauvaise et sinistre, soit ! mais avec une indépendance farouche. Oh ! la merveilleuse fable de La Fontaine, sur le loup et le chien ! Souvenez-vous *!* Le vagabond *n'a que la peau sur les os.* Le dogue est *gras, poli.* Oui, mais le cou *pelé,* le *collier !* Vivre à l'attache ! *Vous ne courez donc pas où vous voulez ?* Non ? Alors, adieu les franches lippées Au bois ! Au bois ! *Tout à la pointe de l'épée !* Et maître loup s'enfuit *et court encor.* Il court encore et courra toujours, le loup, ce gueux, et je l'aime pour cela, et toute âme un peu haute l'aimera de même, ce paria volontaire qui pourra être répugnant, hideux, odieux, abominable, mais qui reste grand quand même, et d'une grandeur superbe, puisque tout son être a poussé l'héroïque cri de guerre de Tacite : *Malo periculosam libertatem.*

13/241

Periculosam, ô braves gueux ! *Periculosam*, entendez-vous, messieurs les heureux du monde, vous tous qui avez la pâtée et la niche, et aussi le collier ! Ai-je donc commis un si grand crime, d'avoir montré la poésie brutale de ces aventureux, de ces hardis, de ces enfants en révolte, à qui la société presque toujours fut marâtre, et qui, ne trouvant pas de lait à la mamelle de la mauvaise nourrice, mordent à même la chair pour calmer leur faim ?

Mais cette révolte, je ne l'ai seulement pas exprimée ; cet amour que j'ai pour eux, je me suis gardé de le dire. Je sentais que cela pourrait effrayer, et je me suis tu. Je me suis contenté de faire vivre mes misérables, avec tous leurs vices, toutes leurs hontes, sans rien cacher, sans plaider pour, et il faut croire que c'était encore trop, puisqu'on m'en a puni. Leurs chansons d'ivrogne, leurs réflexions de gredin, leur vagabondage de fainéant, leur allure débraillée, leurs gaietés immondes, jusqu'à leurs intentions sans doute, on m'a rendu responsable de tout.

De quel droit, franchement, de quel droit ? Par quelle monstrueuse aberration en est-on venu à châtier dans un auteur les fautes de ses personnages ? Je me le demande toujours avec le même ahurissement. Pourquoi ne met-on pas aussi en accusation tous les romanciers, tous les dramaturges, quand ils représentent des fripons, des traîtres, des empoisonneurs, des meurtriers ? Pourquoi ne leur fait-on pas porter, comme à moi, le poids des horreurs dites ou commises par leurs héros ? Si elle veut être conséquente avec elle-même, la Justice doit envoyer, non pas en prison pour trente jours, mais au bagne et à l'échafaud, quiconque a écrit une œuvre vivante où palpite et saigne un lambeau du criminel cœur humain. Allons, mes frères, tendons nos poignets aux menottes des ligotteurs, et qu'on commande des guillotines pour hommes de lettres !

Plaisanterie à part, la question est grave ; et on me pardonnera d'entrer dans des considérations plus hautes, à propos de cette accusation d'immoralité que j'ai l'honneur d'avoir partagée en ce temps hypocrite avec des maîtres tels que Baudelaire et Flaubert. Il s'agit ici, non plus de mon cas particulier, mais, en somme, de la liberté de l'Art. Au premier abord, il va paraître ambitieux et ridicule que je soulève des mots aussi lourds pour défendre une chose aussi légère qu'un recueil de poèmes plus ou moins bons. Mon livre vaut-il donc la peine d'une dissertation en règle ? Je crois que oui : sinon à cause du livre en lui-même, du moins à cause de tous les écrivains qui sont intéressés à mon procès et dont je revendique les droits en parlant des miens.

On a défendu Baudelaire et Flaubert, comme on m'a défendu, avec de pitoyables arguments, en essayant de prouver que l'œuvre incriminée n'était pas immorale autant que cela, en discutant pied à pied le style et l'inspiration, en s'appuyant sur l'autorité de modèles illustres, en élucidant la pensée de l'auteur, en plaidant comme qui dirait les circonstances atténuantes, et je me suis moi-même laissé tout à l'heure entraîner à ce honteux système. C'est la plus mauvaise façon de nous sauver. À suivre l'accusation sur ce terrain de chicanes et d'arguties, on reconnaît qu'elle a le droit de se produire. Or, ce droit, précisément, il faut le nier, et je le nie !

Je proteste de toutes mes forces contre cette absurdité : la Justice contrôlant la Littérature. L'Art est une chose, la Morale en est une autre, et ces deux choses n'ont vraiment rien à voir ensemble.

J'entends parler de l'Art pur, de lui seul. Sans doute, on trouve des écrivains qui emploient des moyens artistiques pour propager des théories politiques, sociales, morales, et il va sans dire que ceux-là doivent des comptes à d'autres qu'à la Critique. Encore resterait-il à savoir jusqu'à quel point ils en doivent à la Justice, qui n'a pas mission, que je sache, de défendre quoi que ce soit en dehors de la liberté, de la propriété, de l'honneur et de la vie des citoyens, et qui n'est point dépositaire d'une philosophie officielle. Mais je veux abandonner ce côté du débat et m'en tenir à la cause des simples artistes, de ceux qui ne *prêchent* pas, qui ne transforment pas leur plume en arme de combat, et qui s'en servent tout bonnement pour planer comme des aigles, ou (comparaison moins orgueilleuse) pour faire la roue comme des paons.

Que peut avoir de commun cet artiste, en tant qu'artiste, avec la Justice et la Morale ? Il ne veut rien attaquer, rien détruire, rien changer, rien prouver, rien persuader même. Il se contente de regarder la vie, de l'exprimer au mieux, d'exciter le rêve, de charmer l'imagination, de toucher le cœur, et il n'a réellement pas d'autre but à sa poésie que la poésie. Et, qu'on y prenne bien garde, je ne réédite pas ici la vieille théorie de l'Art pour l'Art. Je crois, au contraire, et je l'ai montré à l'occasion, qu'il est indispensable au poète d'être de son temps, de s'intéresser à la vie qui lutte, souffre, pleure ou chante autour de lui, et j'estime qu'on ne peut produire une œuvre vraiment humaine qu'à la condition d'être foncièrement homme. C'est là un axiome digne de M. de la Palice, tant il est évident. Mais il n'en est pas moins clair que la vie exprimée poétiquement, et la vie réelle, c'est-à-dire l'Art et la Morale, sont deux mondes absolument différents, et qu'on commet un épouvantable sophisme chaque fois qu'on juge l'un à la lumière de l'autre. La vie réelle a pour pôle le bien suivant ceux-ci, l'utile (*aliàs* le vrai) suivant ceux-là, tandis que l'Art a pour pôle le beau. Or, le beau, le bien, le vrai, ne se confondent que sur la couverture du livre de M. Cousin. En bonne pratique, ils se distinguent, et il ne sauraient se gendarmer l'un contre l'autre sans absurdité. Du moment que la Morale prétend régenter l'Art, je ne vois pas pourquoi la Géométrie, par exemple, ne viendrait pas aussi fourrer là-dedans son nez en angle obtus. Non, le poète ne relève pas plus du Palais de Justice que l'Académie des Sciences. J'en suis fâché pour la magistrature ; mais, quand elle s'ingère de parler d'outrage aux bonnes mœurs à propos de nos chansons, elle est aussi profondément déraisonnable, aussi mirifiquement grotesque, que si elle voulait additionner des bonnets de coton avec des étoiles, ou mettre une paire de culottes à l'Apollon du Belvédère.

Ouf ! J'ai fini. Merci, ô suave, merveilleux, incomparable lecteur, si tu as eu l'extraordinaire bonté d'écouter jusqu'au bout les raisons du pauvre auteur qui tient à ton estime et à ton affection.

Et maintenant, feuillette ce livre abominable, pour te bien convaincre que je ne suis pas tant méprisable, quoique repris de justice et privé de mes droits civiques pour le reste de mes jours. Tu y rencontreras des cantilènes de mendiants, des ballades de baladeurs, des paysages, des coins de campagne, des bouts de rue, des petiots qui te demanderont l'aumône, des vieux, des marmiteux, de franches canailles qui ont la main leste et la parole encore plus, mais aussi le cœur sur la main ; tu y verras passer jusqu'à des bêtes, car il y a des gueux parmi elles comme parmi nous ; tu y entendras de ces affreux gros mots qui offusquent si fort notre bégueulerie moderne, et parfois des refrains où se joue gaiement un rayon de soleil, où flambe un verre de vin ; et tu te diras qu'en somme il n'y avait pas là de quoi fouetter un chat, que la vertu de nos contemporains est diablement prompte à s'effaroucher, et qu'elle ressemble à ces vieilles dissolues qui poussent la pudeur et la crainte du sens obscène au point de dire le *séant* d'une bouteille et la *tige* d'un cheval.

En récompense de ton attention patiente et bienveillante, puisses-tu n'avoir jamais affaire aux tribunaux de ton pays ; puisses-tu surtout, mon cher ami, trouver parmi ces poèmes quelque vers vibrant qui te remue doucement la fibre, et qui de temps à autre revienne chanter dans ta mémoire, en faisant perler à tes cils une larme furtive et délicieuse !

JEAN RICHEPIN.

Paris, octobre 1880.

BALLADE DU ROI DES GUEUX

POUR SERVIR DE PROLOGUE AU PRÉSENT LIVRE.

* * * * *

Venez à moi, claquepatins,
Loqueteux, joueurs de musettes,
Clampins, loupeurs, voyous, catins,
Et marmousets, et marmousettes,
Tas de traîne-cul-les-housettes,
Race d'indépendants fougueux !
Je suis du pays dont vous êtes :
Le poète est le Roi des Gueux.

Vous que la bise des matins,
Que la pluie aux âpres sagettes,
Que les gendarmes, les mâtins,
Les coups, les fièvres, les disettes
Prennent toujours pour amusettes,
Vous dont l'habit mince et fongueux
Paraît fait de vieilles gazettes.
Le poète est le Roi des Gueux.

Vous que le chaud soleil a teints,
Hurlubiers dont les peaux bisettes
Ressemblent à l'or des gratins,
Gouges au front plein de frisettes,
Momignards nus sans chemisettes,
Vieux à l'œil cave, au nez rugueux,
Au menton en casse-noisettes,
Le poète est le Roi des Gueux.

18/241

ENVOI

Ô Gueux, mes sujets, mes sujettes,
Je serai votre maître queux.
Tu vivras, monde qui végètes !
Le poète est le Roi des Gueux,

PREMIÈRE PARTIE

GUEUX DES CHAMPS

AU FORGERON FERNAND

CHANSONS DE MENDIANTS

I

BERCEUSE

Dors, mon fieux, dors,
Bercé, berçant.
Fait froid dehors,
Ça glace l' sang.
Mais gna d'chez soi
Qu' pour ceux qu'a d' quoi.

Le vent pince et la neige mouille,
Berçant, bercé.
Dans un chez-soi on a d'la houille
Ou du bois d'automn' ramassé,
Berçant, bercé,
Bercé grenouille.

Dors, mon fieux, dors,
Bercé, berçant.
Fait froid dehors,
Ça glace l' sang.
Mais gna d' chez soi
Qu' pour ceux qu'a d' quoi.

Not' maison à nous, c'est ma hotte,
Berçant, bercé.
Et l' vieux jupon qui t'emmaillote
Jusqu'à ta chair est traversé,
Berçant, bercé,

Bercé marmotte.

Dors, mon fieux, dors,
Bercé, berçant.
Fait froid dehors.
Ça glace l' sang.
Mais gna d' chez soi
Qu' pour ceux qu'a d' quoi

Ton bedon est vide et gargouille,
        Berçant, bercé.
C'est pas pour nous qu'est la pot-bouille
Ni le bon pichet renversé,
        Berçant, bercé,
        Bercé grenouille.

Dors, mon fieux, dors,
Bercé, berçant.
Fait froid dehors,
Ça glace l'sang.
Mais gna d'chez soi
Qu' pour ceux qu'a d'quoi.

J'aurions seul'ment un p'tit feu d' motte,
        Berçant, bercé,
T'y chauff'rais peton et menotte
Et ton derrièr' d'ang' tout gercé,
        Berçant, bercé,
        Bercé marmotte.

Dors, mon fieux, dors,
Bercé, berçant.
Fait froid dehors,
Ça glace l' sang.
Mais gna d' chez soi
Qu' pour ceux qu'a d' quoi.

II

LES PETIOTS

Ouvrez la porte
Aux petiots qui ont bien froid.
Les petiots claquent des dents.
Ohé ! ils vous écoutent !
S'il fait chaud là-dedans,
Bonnes gens,
Il fait froid sur la route.

Ouvrez la porte
Aux petiots qui ont bien faim.
Les petiots claquent des dents.
Ohé ! il faut qu'ils entrent !
Vous mangez là-dedans,
Bonnes gens,
Eux n'ont rien dans le ventre.

Ouvrez la porte
Aux petiots qui ont sommeil.
Les petiots claquent des dents.
Ohé ! leur faut la grange
Vous dormez là-dedans,
Bonnes gens,
Eux, les yeux leur démangent.

Ouvrez la porte
Aux petiots qu'ont un briquet.
Les petiots grincent des dents.
Ohé ! les durs d'oreille !
Nous verrons là-dedans,
Bonnes gens,

Si le feu vous réveille !

III

LES GRANDS

Dans le ciel clair, à tire-d'aile,
        Les hirondelles
        De l'autre année
Reviennent à leurs cheminées.

Et nous, nous revenons aussi,
        Et nous voici
        Par les chemins,
Les va-nu-pieds tendant la main.

Après le pain et la piquette
        Toujours en quête,
        Nous ons la gorge
Plus rouge qu'un brûlant de forge.

Donnez du pain, donnez des sous !
        Car nous sons soûls
        D'aller à pied
Sans avoir rien dans le gésier.

Du pain de son ! des sous de cuivre !
        C'est pour nous vivre.
        Mais va-t'-fair' fiche !
On nous prend pour des merlifiches.

Des sous ! Des sous ! ou nous volons
        Les beaux p'tiots blonds,
        Les beaux amours,
Qu'on les vend cher aux faiseux d'tours.

IV

LE VIEUX

Mes braves bons messieurs et dames,
Par Sainte-Marie-Notre-Dame,
Voyez le pauvre vieux stropiat.
Pater noster ! Ave Maria !
    Ayez pitié !

Mes braves bons messieurs et dames,
La charité des bonnes âmes !
Un p'tit sou, et Dieu vous l'rendra.
Pater noster ! Ave Maria !
    Ayez pitié !

Mes braves bons messieurs et dames,
Chez ceux qui ne voient pas les larmes,
Quand Dieu le veut, grêle il y a.
Pater noster ! Ave Maria !
    Ayez pitié !

Mes braves bons messieurs et dames,
La vache qui vêle, ou la femme,
Si je le dis, son fruit mourra.
Pater noster ! Ave Maria !
    Ayez pitié !

Mes braves bons messieurs et dames,
Au jeteu d'sorts, au preneu d'âmes,
Donnez un p'tit sou, qui qu'en a.
Pater noster ! Ave Maria !
    Ayez pitié !

V

L'ENFANT DE BOHÊME

L'épine est en fleurs ; à l'épine blanche,
En me promenant, j'ai pris une branche.
J'avais emporté mon petit couteau,
  Oh ! Oh !
  Avec mon couteau
  J'ai coupé la branche
   Bien haut.

Je vais dans le ru pêcher à la ligne.
Beaux poissons d'argent, je vous ferai signe.
Voyez au soleil briller mon couteau,
  Oh ! Oh !
  Avec mon couteau
  Je vous ferai signe
   Dans l'eau.

Quand je serai grand, pour gagner des sommes,
J'en ferai ma lance et tûrai les hommes.
Pour fer elle aura le fer du couteau,
  Oh ! Oh !
  Avec mon couteau
  Je troûrai aux hommes
   La peau.

Quand je serai vieux et la barbe blanche,
Pour béquille alors je prendrai ma branche.
Pour manche elle aura le bois du couteau,
  Oh ! Oh !
  Avec mon couteau
  Finira ma branche.

Hého !

VI

LE FOU

Ah ! qui donc m'achètera
Mon joli piège,
Mon joli piège ?
Ah ! qui donc m'achètera
Mon joli piège à rat ?

Je suis un fieu né en Flandre,
Je ne sais où.
On m'a trouvé dans la cendre
Gomme un grillou.
Ma naissance fit esclandre,
Car j'étais fou.

Ah ! qui donc m'achètera
Mon joli piège,
Mon joli piège ?
Ah ! qui donc m'achètera
Mon joli piège à rat ?

Fou, fou, en venant au monde,
Le roi des fous !
Ma mère n'étant pas blonde,
Moi je fus roux.
Et l'on me dit à la ronde :
D'où venez-vous ?

Ah ! qui donc m'achètera
Mon joli piège,
Mon joli piège ?
Ah ! qui donc m'achètera

Mon joli piège à rat ?

D'où je viens, moi petit homme ?
Je n'en sais rien.
Là-bas, plus haut que la Somme,
On n'est pas bien,
Car le ciel y est froid comme
Le nez d'un chien.

Ah ! qui donc m'achètera
Mon joli piège,
Mon joli piège ?
Ah ! qui donc m'achètera
Mon joli piège à rat ?

Je viens d'un lieu où l'on entre
Et d'où l'on sort.
C'est au plus creux de cet antre
Qu'est notre sort.
Quand ma mère ouvrit son ventre,
Je pris l'essor.

Ah ! qui donc m'achètera
Mon joli piège,
Mon joli piège ?
Ah ! qui donc m'achètera
Mon joli piège à rat ?

Je pris l'essor, et mes ailes
Dans le ciel bleu
Ont fondu comme chandelles
Qu'on jette au feu.
Aussi, nulle entre les belles
Ne m'aime un peu.

Ah ! qui donc m'achètera
Mon joli piège,
Mon joli piège ?
Ah ! qui donc m'achètera
Mon joli piège à rat ?

Mais à l'amant qui assiège
En soupirant
Leur cœur, plus léger qu'un liège
Sur un torrent, Je vends pour deux liards un piège
Crac ! qui les prend.

Ah ! qui donc m'achètera
Mon joli piège,
Mon joli piège ?
Ah ! qui donc m'achètera
Mon joli piège a rat ?

Mon piège est un sac en serge
Noir comme un trou,
Où chante un papillon vierge
Piqué d'un clou,
Et où flambe comme un cierge
Le cœur d'un fou.

Ah ! qui donc m'achètera
Mon joli piège,
Mon joli piège ?
Ah ! qui donc m'achètera
Mon joli piège à rat ?

VII

RONDE

Où est le prunier joli ?
Cherchez-le et cherchez-l'y,
    Lanturli,
Le prunier que nul n'émonde,
Le prunier pour tout le monde,
Cherchez çà et cherchez ci,
    C'est ainsi,
Pour les pauvres gueux aussi.

Dans ton jardin bien rempli,
Cherchez-le et cherchez-l'y,
    Lanturli,
Il n'est pas, monsieur le riche,
Qui pour tous te montres chiche,
Cherchez çà et cherchez ci,
    C'est ainsi,
Pour les pauvres gueux aussi.

Il est dans le bois joli,
Cherchez-le et cherchez-l'y,
    Lanturli.
C'est le beau prunier sauvage.
Il est à qui le ravage.
Cherchez çà et cherchez ci,
    C'est ainsi,
Pour les pauvres gueux aussi.

VIII

MARCHE DE PLUIE

Il tomb' de l'eau, plic, ploc, plac,
Il tomb' de l'eau plein mon sac.

Il pleut, ça mouille,
Et pas du vin !
Quel temps divin
Pour la guernouille !

Il tomb' de l'eau, plic, ploc, plac,
Il tomb' de l'eau plein mon sac.

Cochon, patauge !
Mais le cochon
Trouve du son
Au fond de l'auge.

Il tomb' de l'eau, plic, ploc, plac,
Il tomb' de l'eau plein mon sac.

Le cochon bouffe ;
Toi, vieux clampin,
C'est pas le pain,
Vrai, qui t'étouffe.

Il tomb' de l'eau, plic, ploc, plac,
Il tomb' de l'eau plein mon sac.

Bah ! sur la route
Allons plus loin.
Cherche un bon coin,

Truche une croûte.

Il tomb' de l'eau, plic, ploc, plac,
Il tomb' de l'eau plein mon sac.

Après la pluie
Viendra le vent.
En arrivant
Il vous essuie.

Il tomb' de l'eau, plic, ploc, plac,
Il tomb' de l'eau plein mon sac.

IX

CE QUE DIT LA PLUIE

M'a dit la pluie : Écoute
Ce que chante ma goutte,
Ma goutte au chant perlé.
Et la goutte qui chante
M'a dit ce chant perlé :
Je ne suis pas méchante,
Je fais mûrir le blé.

Ne sois pas triste mine
J'en veux à la famine.
Si tu tiens à ta chair,
Bénis l'eau qui t'ennuie
Et qui glace ta chair ;
Car c'est grâce à la pluie
Que le pain n'est pas cher.

Le ciel toujours superbe
Serait la soif à l'herbe
Et la mort aux épis.
Quand la moisson est rare
Et le blé sans épis,
Le paysan avare
Te dit : Crève, eh ! tant pis !

Mais quand avril se brouille,
Que son ciel est de rouille,
Et qu'il pleut comme il faut,
Le paysan bonasse
Dit à sa femme : il faut,
Lui remplir sa besace,

Lui remplir jusqu'en haut.

M'a dit la pluie : Écoute
Ce que chante ma goutte,
Ma goutte au chant perlé.
Et la goutte qui chante
M'a dit ce chant perlé :
Je ne suis pas méchante,
Je fais mûrir le blé.

X

GLANEURS

Les blés coupés sont en buriots
Eh ! hue ! oh ! dia ! les chariots
Prendront d'main la part la meilleure.
    C'est l' tour des glaneurs
        À c't' heure,
    C'est l' tour des glaneurs.

Hardi ! la mère et les morveux,
Battons l'chaum' qu'est dru comm' nos ch'veux,
Et qu' pas un seul épi n'y d'meure.
    C'est l' tour des glaneurs
        À c't' heure,
    C'est l' tour des glaneurs.

L'année est bonn', les grains sont gros.
Fourrez moi-z-en un sous vos crocs.
C'est-il plein, dur, et comm' ça fleure !
    C'est l' tour des glaneurs
        À c't' heure,
    C'est l' tour des glaneurs.

Il en reste au ras du sillon
D' quoi remplir plus d'un corbillon,
Assez pour empêcher qu'on n' meure.
    C'est l'tour des glaneurs
        À c't' heure,
    C'est l'tour des glaneurs.

Si j'en pouvions vend' pour queuq' sous,
J'irions boire à la branch' de houx

Un pichet d'vin qui sent la meure.
C'est l' tour des glaneurs
À c' t'heure,
C'est l' tour des glaneurs.

En passant auprès des buriots,
Volez un peu les proprios.
Faut du pain à ceux qu'a pas d' beurre.
C'est l' tour des glaneurs
À c't' heure,
C'est l' tour des glaneurs.

XI

DU CIDRE IL FAUT

Au cidre ! au cidre ! Il fait chaud.
J'ons l' feu dans la boule.
Au cidre ! au cidre ! il fait chaud.
Faut que l' cidre coule
Du cidre il faut
Dans la goule,
Du cidre il faut
Dans l' goulot.

Au cidre ! au cidre ! il fait chaud.
Verse dru, la mère.
Au cidre ! au cidre ! il fait chaud.
J'ons ein' rou' d' derrière.
Du cidre il faut
À grand verre. Du cidre il faut
À grand pot.

Au cidre ! au cidre ! il fait chaud.
Qué qu'on a, qu'on jase ?
Au cidre ! au cidre ! il fait chaud.
C'est d'l'argent d'occase.
Du cidre il faut
Jusqu'au rase,
Du cidre il faut
Jusqu'en haut.

Au cidre ! au cidre ! il fait chaud.
J'ons ben l' droit d'ét' riche.
Au cidre ! au cidre ! il fait chaud.
J' pai' : qué qu' ça vous fiche ?

Du cidre il faut
Pou' l' vieux Miche.
Du cidre il faut
Pour Michaud.

Au cidre ! au cidre ! il fait chaud.
Vous avez beau dire,
Au cidre ! au cidre ! il fait chaud,
J' m'emplis la tir'lire.
Du cidre il faut,
Tire, tire,
Du cidre il faut,
Larigot.

Au cidre ! au cidre ! il fait chaud.
J'ons soif comn' ein' rave.
Au cidre ! au cidre ! il fait chaud.
Va encore à l' cave !
Du cidre il faut
Plein la gave,
Du cidre il faut
Plein l'gaviot.

Au cidre ! au cidre ! il fait chaud.
Tant mieux si j'me soûle.
Au cidre ! au cidre ! il fait chaud.
J'sons plus rond qu'ein' boule.
Du cidre il faut
Dans la goule,
Du cidre il faut
Dans l' goulot.

XII

PAUVRE AVEUGLE

J'suis ben vieux, j'ai p'us d'z yeux.
Si j' mourais, ça vaudrais mieux.
Si j' mourais, j' s'rais content...
Un p'tit sou en attendant !

Quoi qu' ça f'rait, c' qu'on m'donn'rait ?
Ça n' pourrait m' donner qu' du r'gret.
J'ai p'us b'soin, et c'pendant
Un p'tit sou en attendant !

Du pain sec, rien avec,
Ça n' pass' p'us dans mon pauv' bec.
C'est trop dur. J'ai qu'ein' dent.
Un p'tit sou en attendant !

J'vas mouri, que j' vous dis.
J'vas monter en paradis.
J' vas mouri dans l'instant
Un p'tit sou en attendant !

XIII

BON JOUR BON AN

Bon jour bon an, les bonn's gens,
    Que l' bon Dieu vous console !
Bonjour bon an, les bonn's gens,
    V'là les mangeux d'fav'rolle.
V'là les mendigots, les indigents.
Bon jour bon an, les bonn's gens,
    Que l' bon Dieu vous console !

Bon jour bon an, les bonn's gens,
    V'là les mangeux d'fav'rolle.
Bonjour bon an, les bonn's gens,
    J'allons pas en carriole.
V'là les mendigots, les indigents.
Bon jour bon an, les bonn's gens,
    V'là les mangeux d'fav'rolle.

Bon jour bon an, les bonn's gens,
    J'allons pas en carriole.
Bon jour bon an, les bonn's gens,
    J'ons d'la chance d'traviole.
V'là les mendigots, les indigents.
Bon jour bon an, les bonn's gens,
    J'allons pas en carriole.

Bon jour bon an, les bonn's gens,
    J'ons d'la chance d'traviole.
Bon jour bon an, les bonn's gens,
    Faut-il un air de viole ?
V'là les mendigots, les indigents.
Bon jour bon an, les bonn's gens,

J'ons d'la chance d'traviole.

Bon jour bon an, les bonn's gens,.
Faut-il un air de viole ?
Bon jour bon an, les bonn's gens,
Que l' diab' vous patafiole !
V'là les mendigots, les indigents.
Bon jour bon an, les bonn's gens,
Faut-il un air de viole ?

Bon jour bon an, les bonn's gens,
Que l' diab' vous patafiole !
Bon jour bon an, les bonn's gens,
Quand on n' me donn' pas, j' vole.
V'là les mendigots, les indigents.
Bon jour bon an, les bonn's gens,
Que l' diab' vous patafiole !

XIV

LES VRAIS GUEUX

Qui qu'est gueux ?
C'est-il nous
Ou ben ceux
Qu'a des sous ?

Pour les avoir, quell' misère !
Ah ! les pauv's gens, que j' les plains !
Souvent c'est nous que j'sons pleins
Et c'est eux qu' leu vent' se serre.

Qui qu'est gueux ?
C'est-il nous
Ou ben ceux
Qu'a des sous ?

Quel travail à grand orchestre !
C'est pas fait pour les envier.
Ça va d'puis l' premier d' janvier
Jusqu'au soir de Saint-Sylvestre.

Qui qu'est gueux ?
C'est-il nous
Ou ben ceux
Qu'a des sous ?

V'là la charrue et la herse.
La glèbe est dure à r'tourner.
On gagn' rud'ment son dîner
À fair' ce cochon d'commerce.

Qui qu'est gueux ?
C'est-il nous
Ou ben ceux
Qu'a des sous ?

Puis viens l' dur moment des s'mailles ;
Et l'bon grain qu'on jette au vent
Ne s'rait pas d'trop l' p'us souvent
Pour la mère et les marmailles.

Qui qu'est gueux ?
C'est-il nous
Ou ben ceux
Qu'a des sous ?

Si l' beau temps est en déroute,
S'il pleut fort ou s'il n' pleut pas,
L' blé reste enterré là-bas
Et n' rend pas l' quart de c' qu'il coûte.

Qui qu'est gueux ?
C'est-il nous
Ou ben ceux
Qu'a des sous ?

Puis c'est la moisson qu'arrive.
On n' dort p'us qu'ein' heur' par nuit.
Et c'tapendant l'bon temps fuit,
L'bon temps fuit p'us vit' qu'ein' grive.

Qui qu'est gueux ?
C'est-il nous
Ou ben ceux
Qu'a des sous ?

On espère un peu d' clémence,
On va rire, on a du gain.
J't'en fich' ! V'là d'jà l'an prochain !
Pas d' repos : faut qu'on r'commence.

45/241

Qui qu'est gueux ?
C'est-il nous
Ou ben ceux
Qu'a des sous ?

C'est pas comm' ça pour nous autres.
Les champs noyés ou roussis,
J'm'en moquons ; j'ons pas d' soucis,
Car j'ons pas d'foins ni d'épautres.

Qui qu'est gueux ?
C'est-il nous
Ou ben ceux
Qu'a des sous ?

Puis j'ons pas l'échin' bossue
À forç' d' nous plier en deux,
Et c'est vraiment hasardeux
Quand y en a-z-un d' nous qui sue.

Qui qu'est gueux ?
C'est-il nous
Ou ben ceux
Qu'a des sous ?

Allez, allez, la canaille,
Trimez dur, ferme, et longtemps !
À vous r'luquer j' sons contents.
C'est pour nous qu' tout ça travaille.

Qui qu'est gueux ?
C'est-il nous
Ou ben ceux
Qu'a des sous ?

Allez, allez, dans la terre
J'tez vot' blé ! Mais quel guignon !
Faudra m'couper mon quignon
Dans vot' pain d'propriétaire.

Qui qu'est gueux ?
C'est-il nous
Ou ben ceux
Qu'a des sous ?

Allez, allez, fait's vot' meule !
Moi, c't hiver j'y f'rai mon pieu,
Et p't' et' que j'y foutrai l' feu
En allumant mon brûl' gueule.

Qui qu'est gueux ?
C'est-il nous
Ou ben ceux
Qu'a des sous ?

LES PLANTES, LES CHOSES, LES BÊTES

I

LA FLUTE

Je n'étais qu'une plante inutile, un roseau.
Aussi je végétais, si frêle, qu'un oiseau
En se posant sur moi pouvait briser ma vie.
Maintenant je suis flûte et l'on me porte envie.
Car un vieux vagabond, voyant que je pleurais,
Un matin en passant m'arracha du marais,
De mon cœur, qu'il vida, fit un tuyau sonore,
Le mit sécher un an, puis, le perçant encore,
Il y fixa la gamme avec huit trous égaux ;
Et depuis, quand sa lèvre aux souffles musicaux
Éveille les chansons au creux de mon silence,
Je tressaille, je vibre, et la note s'élance ;
Le chapelet des sons va s'égrenant dans l'air ;
On dirait le babil d'une source au flot clair ;
Et dans ce flot chantant qu'un vague écho répète
Je sais noyer le cœur de l'homme et de la bête.

II

LA PLAINTE DU BOIS

Dans l'âtre flamboyant le feu siffle et détone,
Et le vieux bois gémit d'une voix monotone.

Il dit qu'il était né pour vivre dans l'air pur,
Pour se nourrir de terre et s'abreuver d'azur,
Pour grandir lentement et pousser chaque année
Plus haut, toujours plus haut, sa tête couronnée,
Pour parfumer avril de ses grappes de fleurs,
Pour abriter les nids et les oiseaux siffleurs,
Pour jeter dans le vent mille chansons joyeuses,
Pour vêtir tour à tour ses robes merveilleuses,
Son manteau de printemps de fins bourgeons couvert,
Et la pourpre en automne, et l'hermine en hiver.
Il dit que l'homme est dur, avare et sans entrailles,
D'avoir à coups de hache et par d'âpres entrailles
Tué l'arbre ; car l'arbre est un être vivant.
Il dit comme il fut bon pour l'homme bien souvent,
Qu'à nos jeunes amours et nos baisers sans nombre
Il a prêté l'alcôve obscure de son ombre,
Qu'il nous couvrait le jour de ses frais parasols
Et nous berçait la nuit aux chants des rossignols,
Et qu'ingrats, oubliant notre amour, notre enfance,
Nous coupons sans pitié le géant sans défense.

Et dans l'âtre en brasier le bois geint et se tord.

Ô bois, tu n'es pas sage et tu te plains à tort.
Nos mains en te coupant ne sont pas assassines.
Enchaîné, subissant l'entrave des racines,
Tu végétais au même endroit, sans mouvement,

Et conjoint à la terre inséparablement.
Toi qui veux être libre et qui proclames l'arbre
Vivant, tu demeurais planté là comme un marbre,
Captif en ton écorce ainsi qu'en un réseau,
Et tu ne devinais l'essor que par l'oiseau.
Nous t'avons délivré du sol où tu te rives,
Et te voilà flottant sur l'eau, voyant des rives
Avec leurs bateliers, leurs maisons, leurs chevaux.
Ô les cieux différents ! les horizons nouveaux !
Que de biens inconnus tu vas enfin connaître !
Quel souffle d'aventure étrange te pénètre !
Mais tout cela n'est rien. Car tu rampes encor.
Qu'on le fende et le brûle, et qu'il prenne l'essor !
Et le feu furieux te dévore la fibre.
Ah ! tu vis maintenant, tu vis, te voilà libre !
Plus haut que les parfums printaniers de tes fleurs,
Plus haut que les chansons de tes oiseaux siffleurs,
Plus haut que tes soupirs, plus haut que mes paroles,
Dans la nue et l'espace infini tu t'envoles !
Vers ces roses vapeurs où le soleil du soir
S'éteint comme une braise au fond d'un encensoir,
Vers ce firmament bleu dont la gloire allumée
Absorbe avec amour ton âme de fumée,
Vers ce mystérieux et sublime lointain
Où viendra s'éveiller demain le frais matin,
Où luiront cette nuit les splendeurs sidérales,
Monte, monte toujours, déroule tes spirales,
Monte, évanouis-toi, fuis, disparais ! Voici
Que ton dernier flocon flotte seul, aminci,
Et se fond, se dissout, s'en va. Tu perds ton être ;
Aucun œil à présent ne peut te reconnaître ;
Et toi qui regrettais le grand ciel et l'air pur,
Ô vieux bois, tu deviens un morceau de l'azur.

III

VIEILLE STATUE

Oubliée en un coin du parc, seule, abattue,
Sous le lierre qui ronge une vieille statue
Gisait. Pauvre statue ! elle me fit pitié.
Je suis de ces rêveurs qui dans leur amitié
Donnent aussi sa part à l'inerte matière
Et partagent leur cœur à la nature entière.
Je relevai le mort, et pour qu'il fût content,
Pour qu'il eût le bonheur de revivre un instant
Comme si nous étions aux époques anciennes
Où parmi les chansons il avait eu les siennes,
Je fis semblant de croire à sa divinité,
Et je lui dis ces vers où son los est chanté :

Ô Pan, gardien sacré de cette grotte obscure
D'où sort le ruisseau clair qui sous tes pieds murmure,
Toi qu'un lierre, en festons à l'entour de ton flanc,
De son feuillage noir fait paraître plus blanc,
Toi qui ris d'un air bon dans ta barbe de pierre,
Et regardes, clignant un œil sous ta paupière,
Si quelque blonde enfant vient par le bois profond,
Portant de ses bras nus une urne sur son front,
Ô Pan, je poserai mes lèvres arrondies
Sur la flûte dorée aux douces mélodies
Et je te chanterai ma plus belle chanson,
Et, comme à Jupiter le divin échanson
Verse le saint nectar qui parfume les lèvres,
Je verserai pour toi le lait pur de mes chèvres,
Et mon bouc t'offrira, sous le couteau sacré,
De sa gorge velue un flot de sang pourpré,
Si tu veux bien remplir à la saison nouvelle

De mon troupeau bêlant la traînante mamelle,
Si tu fais que mon mâle aux amoureux travaux
Donne à chaque femelle un couple de chevreaux,
Ô Pan, dieu des bergers, dieu revêtu de lierre,
Toi qui ris d'un air bon dans ta barbe de pierre.

IV

LE MERLE À LA GLU

Merle, merle, joyeux merle,
Ton bec jaune est une fleur,
Ton œil noir est une perle,
Merle, merle, oiseau siffleur.

Hier tu vins dans ce chêne,
Parce qu'hier il a plu.
Reste, reste dans la plaine.
Pluie ou vent vaut mieux que glu.

Hier vint dans le bocage
Le petit vaurien d'Éloi
Qui voudrait te mettre en cage.
Prends garde, prends garde à toi !

Il va t'attraper peut-être.
Iras-tu dans sa maison,
Prisonnier à sa fenêtre,
Chanter pour lui ta chanson ?

Mais tandis que je m'indigne,
Ô merle, merle goulu,
Tu mords à ses grains de vigne,
Ses grains de vigne à la glu.

Voici que ton aile est prise,
Voici le petit Éloi !
Siffle, siffle ta bêtise,
Dans ta prison siffle-toi !

Adieu, merle, joyeux merle,
Dont le bec jaune est en fleur,
Dont l'œil noir est une perle,
Merle, merle, oiseau siffleur.

V

ÉPITAPHE POUR UN LIÈVRE

Au temps où les buissons flambent de fleurs vermeilles,
Quand déjà le bout noir de mes longues oreilles
Se voyait par-dessus les seigles encor verts
Dont je broutais les brins en jouant au travers,
Un jour que, fatigué, je dormais dans mon gîte,
La petite Margot me surprit. Je m'agite,
Je veux fuir. Mais j'étais si faible, si craintif !
Elle me tint dans ses deux bras : je fus captif.
Certes elle m'aimait bien, la gentille maîtresse.
Quelle bonté pour moi, que de soins, de tendresse !
Comme elle me prenait sur ses petits genoux
Et me baisait ! Combien ses baisers m'étaient doux !
Je me rappelle encor la mignonne cachette
Qu'elle m'avait bâtie auprès de sa couchette,
Pleine d'herbes, de fleurs, de soleil, de printemps,
Pour me faire oublier les champs, les libres champs.
Mais quoi ! l'herbe coupée, est-ce donc l'herbe fraîche ?
Mieux vaut l'épine au bois que les fleurs dans la crèche.
Mieux vaut l'indépendance et l'incessant péril
Que l'esclavage avec un éternel avril.
Le vague souvenir de ma première vie
M'obsédant, je sentais je ne sais quelle envie ;
J'étais triste ; et malgré Margot et sa bonté
Je suis mort dans ses bras, faute de liberté.

VI

LES VIEUX PAPILLONS

Un mois s'ensauve, un autre arrive.
Le temps court comme un lévrier.
Déjà le roux genévrier
A grisé la première grive.
Bon soleil, laissez-vous prier,
    Faites l'aumône !
Donnez pour un sou de rayons.
    Faites l'aumône
À deux pauvres vieux papillons.

La poudre d'or qui nous décore
N'a pas perdu toutes couleurs,
Et malgré l'averse et ses pleurs
Nous aimerions à faire encore
Un petit tour parmi les fleurs.
    Faites l'aumône !
Donnez pour un sou de rayons.
    Faites l'aumône
À deux pauvres vieux papillons.

Qu'un bout de soleil aiguillonne
Et chauffe notre corps tremblant,
On verra le papillon blanc
Baiser sa blanche papillonne,
Papillonner papillolant.
    Faites l'aumône !
Donnez pour un sou de rayons,
    Faites l'aumône
À deux pauvres vieux papillons.

Mais, hélas ! les vents ironiques
Emportent notre aile en lambeaux.
Ah ! du moins, loin des escarbots,
Ô violettes véroniques,
Servez à nos cœurs de tombeaux.
  Faites l'aumône !
Gardez-nous des vers, des grillons.
  Faites l'aumône
À deux pauvres vieux papillons.

VII

LE BOUC AUX ENFANTS

Sous bois, dans le pré vert dont il a brouté l'herbe,
Un grand bouc est couché, pacifique et superbe.
De ses cornes en pointe, aux nœuds superposés,
La base est forte et large et les bouts sont usés ;
Car le combat jadis était son habitude.
Le poil, soyeux à l'œil, mais au toucher plus rude,
Noir tout le long du dos, blanc au ventre, à flots gris
Couvre sans les cacher les deux flancs amaigris.
Et les genoux calleux et la jambe tortue,
La croupe en pente abrupte et l'échine pointue,
La barbe raide et blanche et les grands cils des yeux
Et le nez long, font voir que ce bouc est très vieux.
Aussi, connaissant bien que la vieillesse est douce,
Deux petits mendiants s'approchent, sur la mousse,
Du dormeur qui, l'œil clos, semble ne pas les voir.
Des cornes doucement ils touchent le bout noir.
Puis, bientôt enhardis et certains qu'il sommeille,
Ils lui tirent la barbe en riant. Lui, s'éveille,
Se dresse lentement sur ses jarrets noueux,
Et les regarde rire, et rit presque avec eux.
De feuilles et de fleurs ornant sa tête blanche,
Ils lui mettent un mors taillé dans une branche,
Et chassent devant eux à grands coups de rameau
Le vénérable chef des chèvres du hameau.
Avec les sarments verts d'une vigne sauvage
Ils ajustent au mors des rênes de feuillage.
Puis, non contents, malgré les pointes de ses os,
Ils montent tous les deux à cheval sur son dos,
Et se tiennent aux poils, et de leurs jambes nues
Font sonner les talons sur ses côtes velues.

On entend dans le bois, de plus en plus lointains,
Les voix, les cris peureux, les rires argentins ;
Et l'on voit, quand ils vont passer sous une branche,
Vers la tête du bouc leur tête qui se penche,
Tandis que sous leurs coups et sans presser son pas
Lui va tout doucement pour qu'ils ne tombent pas.

VIII

LA GLOIRE DES INSECTES

C'est avril. C'est midi. La terre a mis son châle
De verdure et de fleurs au dessin ondoyant,
Et le ciel tend sur elle un dais de velours pâle
Que le soleil retient d'un clou d'or flamboyant.

La nature fredonne un vieux chant de nourrice
Et brode une layette en merveilleux festons ;
Car elle sent les fruits germer dans sa matrice
Et le lait de la sève arrondir ses tétons.

Nous, ses fils orgueilleux, les chefs de la famille,
Nous croyons être seuls bercés sur ses genoux.
Nous oublions toujours que son giron fourmille
De plus petits enfants aussi choyés que nous.

Si parfois nous pensons à nos frères, les brutes,
Qui devraient être rois étant les premiers nés,
C'est pour nous souvenir qu'après d'ardentes luttes
Nous volâmes leur droit d'aînesse à ces aînés.

Si nous pensons aux soins que prend d'eux la nature,
C'est pour nous figurer qu'à nous, ses Benjamins,
Comme une ménagère apprêtant la pâture
Elle veut les offrir engraissés par ses mains.

Mais quant au peuple obscur des petits, des insectes,
Qu'elle les aime ou non, nul ne veut le savoir.
Poussière d'avortons nés de larves infectes,
Nous les méprisons trop pour chercher à les voir.

Or, comme je rêvais ainsi, couché dans l'herbe,
Voulant que de moi seul la nature eût souci,
Tandis que je cuvais le vin de ma superbe,
Une petite voix m'a bourdonné ceci :

*

Es-tu poète ? Mets ensemble
Le plus clair cristal, qui te semble
Un pleur du ciel,
L'opale dont l'éclat se gaze
Sous un lait trouble, la topaze
Couleur de miel,

L'émeraude qui dans sa flamme
A l'air de faire brûler l'âme
Du printemps vert,
L'escarboucle de sang trempée
Pareille à la goutte échappée
D'un cœur ouvert,

Le saphir sombre qui scintille
Plus que les yeux bleus d'une fille
Près d'un amant,
Mets le roi de toutes ces pierres,
Devant qui tu clos tes paupières,
Le diamant,

Que pour toi ce trésor s'arrange
En une mosaïque étrange
Aux tons divers,
Que ces belles choses sans nombre
De leurs feux illuminent l'ombre.
De tous tes vers,

Combine d'une main savante,
Imagine, compose, invente,
Refais, refonds,
Sers-toi des poinçons et des limes,
Et que tes dessins soient sublimes

Et soient profonds,

Quand ton œuvre sera finie,
Malgré l'effort de ton génie,
Tous tes cadeaux
Ne pourront remplacer encore
Ceux dont la nature décore
Mon petit dos.

Je fais mon nid dans une feuille.
Un enfant, pour peu qu'il le veuille,
Du bout du doigt
Peut briser ma feuille et ma vie.
Pourtant je suis digne d'envie,
Môme pour toi.

La nature, la mère auguste,
N'est pas une marâtre injuste
Comme tu dis,
Et pour d'autres que pour les hommes
Elle a fait du monde où nous sommes
Un paradis.

À qui donc sont les bois, la mousse,
Les champs, les prés, le grain qui pousse,
L'herbe qui poind ?
Est-ce à toi, né dans une ville,
À toi dont la charogne est vile
Et ne sert point ?

Ou bien aux bêtes mes compagnes,
Les seuls hôtes qui des campagnes
Soient coutumiers,
Elles qui vivent des prairies
Et qui les font toutes fleuries
De leurs fumiers ?
Ou bien est-ce à moi, le gueux libre,
Soul d'azur et dont l'aile vibre
En plein soleil,
Moi qui l'été m'amuse et rôde,

Qui l'hiver sous la terre chaude
Dors mon sommeil,

Et qui cours joyeux par la plaine,
Mangeant à ma guise, sans peine
Et sans remords,
Suivant la Mort épouvantable
Qui partout dresse sur ma table
La chair des morts ?

Lorsque je vis à ne rien faire,
Toi, tu travailles, pauvre hère,
Jusqu'au tombeau.
La sueur te brûle et te sale.
Ton corps est laid, ton corps est sale.
Moi je suis beau.

*

Et je vis, sur ma main, bourdonnant de colère,
Un être merveilleux et pourtant tout petit.
Ce rien du tout luisait comme un spectre solaire.
C'était un scarabée. Il eut peur et partit.

IX

TRISTESSE DES BÊTES

Le soleil est tombé derrière la forêt.
Dans le ciel, qu'un couchant rose et vert décorait,
Brille encore un grenat au faîte d'une branche.
La lune, à l'opposé, montre sa corne blanche.
Vers les puits, dont l'eau coule aux rigoles de bois,
C'est l'heure où les barbets avec de grands abois
Font, devant le berger lourd sous sa gibecière,
Se hâter les brebis dans des flots de poussière.
Les bêtes, les oiseaux des champs, sont au repos.
Seuls, le long du chemin, compagnons des troupeaux,
Sautant de motte en motte après la mouche bleue,
On entend pépier les brusques hoche-queue.
Puis ils s'en vont aussi. La nuit de plus en plus
Monte, noyant dans l'ombre épaisse le talus
Où les grillons plaintifs chantent leur bucolique
En couplets alternés d'un ton mélancolique.
Sous la brise du soir les herbes, les buissons,
Palpitent, secoués de douloureux frissons,
Et semblent chuchoter de noires confidences.
À ce ronron lugubre accordant ses cadences,
Le vieux berger, qui souffle en ses pipeaux faussés,
Fait pâmer les crapauds râlant dans les fossés.
Or, le bélier pensif baisse plus bas ses cornes ;
Les brebis, se serrant, ouvrent de grands yeux mornes ;
Et les chiens en hurlant s'arrêtent pour s'asseoir.

Oh ! vous avez raison d'être tristes, le soir !
Elle a raison, berger, ta chanson monotone
Qui pleure. Il a raison, l'animal qui s'étonne
De l'ombre épouvantable et de la nuit sans fond.

Hélas ! l'ombre et la nuit, sait-on ce qu'elles font ?
Sait-on quel œil vous guette et quel bras vous menace
Dans cette chose noire ? Ah ! la nuit ! C'est la nasse
Que la Mort tous les soirs tend par où nous passons,
Et qui tous les matins est pleine de poissons.

Vive le bon soleil ! Sa lumière est sacrée.
Vive le clair soleil ! Car c'est lui seul qui crée.
C'est lui qui verse l'or au calice des fleurs,
Et fait les diamants de la rosée en pleurs ;
C'est lui qui donne à mars ses bourgeons d'émeraude,
À mai son frais parfum qui par les brises rôde,
À juin son souffle ardent qui chante dans les blés,
À l'automne jauni ses cieux roux et troublés ;
C'est lui qui pour chauffer nos corps froids en décembre
Unit au bois flambant les vins de pourpre et d'ambre ;
C'est lui l'ami magique au sourire enchanté
Qui rend la joie à ceux qui pleurent, la santé
Aux malades ; c'est lui, vainqueur des défaillances,
Qui nourrit les espoirs, ranime les vaillances ;
C'est lui qui met du sang dans nos veines ; c'est lui
Qui dans les yeux charmants des femmes dort et luit ;
C'est lui qui de ses feux par l'amour nous enivre ;
Et quand il n'est pas là, j'ai peur de ne plus vivre.

Vous comprenez cela, vous, bêtes, n'est-ce pas ?
Puisque, le soir venu, ralentissant le pas,
Dans votre âme, par l'homme oublieux abolie,
Vous sentez je ne sais quelle mélancolie.

X

OISEAUX DE PASSAGE

C'est une cour carrée et qui n'a rien d'étrange :
Sur les flancs, l'écurie et l'étable au toit bas ;
Ici près, la maison ; là-bas, au fond, la grange
Sous son chapeau de chaume et sa jupe en plâtras.

Le bac, où les chevaux au retour viendront boire,
Dans sa berge de bois est immobile et dort.
Tout plaqué de soleil, le purin à l'eau noire
Luit le long du fumier gras et pailleté d'or.

Loin de l'endroit humide où gît la couche grasse,
Au milieu de la cour, où le crottin plus sec
Riche de grains d'avoine en poussière s'entasse,
La poule l'éparpille à coups d'ongle et de bec.

Plus haut, entre les deux brancards d'une charrette,
Un gros coq satisfait, gavé d'aise, assoupi,
Hérissé, l'œil mi-clos recouvert par la crête,
Ainsi qu'une couveuse en boule est accroupi.

Des canards hébétés voguent, l'œil en extase.
On dirait des rêveurs, quand soudain, s'arrêtant,
Pour chercher leur pâture au plus vert de la vase
Ils crèvent d'un plongeon les moires de l'étang.

Sur le faîte du toit, dont les grises ardoises
Montrent dans le soleil leur écailles d'argent,
Des pigeons violets aux reflets de turquoises
De roucoulements sourds gonflent leur col changeant.

Leur ventre bien lustré, dont la plume est plus sombre,
Fait tantôt de l'ébène et tantôt de l'émail,
Et leurs pattes, qui sont rouges parmi cette ombre,
Semblent sur du velours des branches de corail.

Au bout du clos, bien loin, on voit paître les oies,
Et vaguer les dindons noirs comme des huissiers.
Oh ! qui pourra chanter vos bonheurs et vos joies,
Rentiers, faiseurs de lard, philistins, épiciers ?

Ô vie heureuse des bourgeois ! Qu'avril bourgeonne
Ou que décembre gèle, ils sont fiers et contents.
Ce pigeon est aimé trois jours par sa pigeonne,
Ça lui suffit : il sait que l'amour n'a qu'un temps.

Ce dindon a toujours béni sa destinée.
Et quand vient le moment de mourir, il faut voir
Cette jeune oie en pleurs : « C'est là que je suis née ;
Je meurs près de ma mère et j'ai fait mon devoir. »

Son devoir ! C'est-à-dire elle blâmait les choses
Inutiles, car elle était d'esprit zélé ;
Et, quand des papillons s'attardaient sur des roses,
Elle cassait la fleur et mangeait l'être ailé.

Elle a fait son devoir ! C'est-à-dire que oncque
Elle n'eut de souhait impossible, elle n'eut
Aucun rêve de lune, aucun désir de jonque
L'emportant sans rameurs sur un fleuve inconnu.

Elle ne sentit pas lui courir sous la plume
De ces grands souffles fous qu'on a dans le sommeil,
Pour aller voir la nuit comment le ciel s'allume
Et mourir au matin sur le cœur du soleil.

Et tous sont ainsi faits ! Vivre la même vie
Toujours, pour ces gens-là cela n'est point hideux.
Ce canard n'a qu'un bec, et n'eut jamais envie
Ou de n'en plus avoir ou bien d'en avoir deux.

Aussi, comme leur vie est douce, bonne et grasse !
Qu'ils sont patriarcaux, béats, vermillonnés,
Cinq pour cent ! Quel bonheur de dormir dans sa crasse,
De ne pas voir plus loin que le bout de son nez !

N'avoir aucun besoin de baiser sur les lèvres,
Et, loin des songes vains, loin des soucis cuisants,
Posséder pour tout cœur un viscère sans fièvres,
Un coucou régulier et garanti dix ans !

Oh ! Les gens bienheureux !... Tout à coup, dans l'espace,
Si haut qu'il semble aller lentement, un grand vol
En forme de triangle arrive, plane et passe.
Où vont-ils ? Qui sont-ils ? Comme ils sont loin du sol !

Les pigeons, le bec droit, poussent un cri de flûte
Qui brise les soupirs de leur col redressé,
Et sautent dans le vide avec une culbute.
Les dindons d'une voix tremblotante ont gloussé.

Les poules picorant ont relevé la tête.
Le coq, droit sur l'ergot, les deux ailes pendant,
Clignant de l'œil en l'air et secouant la crête,
Vers les hauts pèlerins pousse un appel strident.

Qu'est-ce que vous avez, bourgeois ? Soyez donc calmes.
Pourquoi les appeler, sot ? Ils n'entendront pas.
Et d'ailleurs, eux qui vont vers le pays des palmes,
Crois-tu que ton fumier ait pour eux des appas ?

Regardez-les passer ! Eux, ce sont les sauvages.
Ils vont où leur désir le veut, par-dessus monts,
Et bois, et mers, et vents, et loin des esclavages.
L'air qu'ils boivent ferait éclater vos poumons.

Regardez-les ! Avant d'atteindre sa chimère,
Plus d'un, l'aile rompue et du sang plein les yeux,
Mourra. Ces pauvres gens ont aussi femme et mère,
Et savent les aimer aussi bien que vous, mieux.

Pour choyer cette femme et nourrir cette mère,
Ils pouvaient devenir volailles comme vous.
Mais ils sont avant tout les fils de la chimère,
Des assoiffés d'azur, des poètes, des fous.

Ils sont maigres, meurtris, las, harassés. Qu'importe !
Là-haut chante pour eux un mystère profond.
À l'haleine du vent inconnu qui les porte
Ils ont ouvert sans peur leurs deux ailes. Ils vont.

La bise contre leur poitrail siffle avec rage.
L'averse les inonde et pèse sur leur dos.
Eux, dévorent l'abîme et chevauchent l'orage.
Ils vont, loin de la terre, au-dessus des badauds.

Ils vont, par l'étendue ample, rois de l'espace.
Là-bas ils trouveront de l'amour, du nouveau.
Là-bas un bon soleil chauffera leur carcasse
Et fera se gonfler leur cœur et leur cerveau.

Là-bas, c'est le pays de l'étrange et du rêve,
C'est l'horizon perdu par delà les sommets,
C'est le bleu paradis, c'est la lointaine grève
Où votre espoir banal n'abordera jamais.

Regardez-les, vieux coq, jeune oie édifiante
Rien de vous ne pourra monter aussi haut qu'eux,
Et le peu qui viendra d'eux à vous, c'est leur fiente.
Les bourgeois sont troublés de voir passer les gueux.

L'ODYSSÉE DU VAGABOND

I

NATIVITÉ

D'aucuns ont un pleur charitable
Pour Jésus né dans une étable.
Je sais un sort plus lamentable.

Je sais un enfant ramassé,
Un jour de décembre glacé,
Nu comme un ver, dans un fossé.

Il est nuit. Pas une voisine
N'offre sa grange ou sa cuisine
À la pauvre mère en gésine.

Malgré sa mine et son danger,
Qui donc voudrait se déranger ?
Elle est en pays étranger.

Donc, depuis l'étape derrière,
Se traînant d'ornière en ornière
Elle va, bête sans tanière,

Bête hagarde qui s'enfuit,
Et cherche à tâtons un réduit,
Les yeux grands ouverts dans la nuit.

Ses reins lui pèsent. Ses mamelles
Que gonflent des cuissons jumelles

Sont pleines comme des gamelles.

Son ventre, où flambent des charbons,
Sent l'enfant, fils des vagabonds,
Qui veut sortir et fait des bonds.

Elle va quand même, plus lente,
Tirant ses pieds lourds dont la plante
Saigne. Elle va, folle, hurlante,

Soûle, et, boule, roule au fossé,
Et maudit le mâle exaucé
Par qui son flanc fut engrossé.

La face au ciel, comme en extase,
Elle se tord. Son cou s'écrase
Sur les cailloux et dans la vase.

Elle accouche enfin, en crevant ;
Et le gueux nouvel arrivant
Grelotte et vagit en plein vent.

Le vent est dur, sa chair est nue.
Aucune étoile dans la nue
Ne vient saluer sa venue.

Pas de mages, pas de cadeaux,
De crèche, de bergers badauds !
Il est seul, couché sur le dos,

Comme un supplicié qui claime,
Tout noir près du cadavre blême,
Sans personne au monde qui l'aime ;

Et, par sa mère au ventre ouvert
Je jure, le front découvert,
Que l'autre n'a pas tant souffert !

II

PREMIER DÉPART

Quand s'entrouvrent les yeux des marguerites blanches,
Quand le bourgeon tremblant palpite au bout des branches,
Quand les lapins frileux commencent, le matin,
À sortir du terrier pour courir dans le thym,
Quand les premiers oiseaux chantant leurs chansonnettes
Font dans le ciel plus pur vibrer leur voix plus nettes,
À l'époque où le monde heureux se rajeunit,
Les petits mendiants doivent quitter leur nid.
Ils sortent de la hutte où, comme des marmottes,
Ils ont dormi l'hiver auprès d'un feu de mottes,
Cependant que la mère attisait le brasier
Et tressait en chantant des corbillons d'osier.
C'est à vendre ces blancs hochets aux verts losanges
Qu'ils vont gagner leur pain, les pauvres petits anges.
Le père est mort depuis quatre mois. La maison
Est trop chère à louer, et pour cette raison
La mère chez autrui va devenir servante.
On se retrouvera pour la saison suivante,
Quand on aura gagné quelque argent cet été.
En attendant, chacun s'en va de son côté.
Les petits prennent leur baluchon sur l'épaule
Et mettent leurs sabots au bout garni de tôle.
Et quand la mère, avec des sanglots dans la voix,
A baisé le dernier une dernière fois,
Ils partent, se tenant par la main, d'un air grave.
L'aîné siffle un refrain pour paraître plus brave ;
Mais il sent de gros pleurs lui rouler dans les yeux.
Il ne pleurera pas : car c'est lui le plus vieux,
Car le long des chemins voici qu'ils sont en marche,

Et l'enfant de douze ans devient un patriarche.

III

PREMIER RETOUR

Toujours tout droit, sans rien regarder, ils cheminent.
Les paysans hargneux de coin les examinent,
Et les enfants poltrons se mettent sur un rang
Pour les voir. Car ces gueux n'ont pas l'air rassurant.
Et pourtant ils ne sont que trois, ces trouble-fête,
Et le plus vieux des trois, celui qui marche en tête,
N'a pas treize ans. Mais comme ils sont fauves, hagards !
Une implacable horreur habite leurs regards.
On sent qu'ils ont souffert, jeûné, veillé. Leurs membres
Disent la faim, la soif, le froid noir des décembres,
Le soleil lourd, l'averse à flots pointus crevant,
L'étape interminable, et les nuits en plein vent.
On comprend qu'ils ont bu la brume qui pénètre,
Et râlé quelquefois au pied d'une fenêtre
Où chantaient et flambaient des rires de catin.
Il leur est arrivé de marcher du matin
Au soir, et puis du soir au matin sans entendre
Le son que fait un sou dans la main qu'il faut tendre.
Il leur est arrivé, le ventre creux, de voir
Des gens repus qui leur refusaient du pain noir.
Et c'est pourquoi leurs cœurs sont des fourneaux de haine.
Mais, la maison où vit leur mère étant prochaine,
Les voilà doux. Près d'elle ils seront apaisés,
Et leur bouche d'enfant rapprendra les baisers.
Hélas ! la mère est morte à la tâche. Sa bière
Gît sans nom dans un coin perdu du cimetière.
Ils ne trouveront pas, ce soir, à leur retour,
Pour consoler leur jeûne amer, le pain d'amour.
Et demain il faudra repartir par les routes,
Et mendier encore, et se nourrir des croûtes,

Des restes, des vieux os que l'on dispute aux chiens.
Mais les chers innocents, du coup, sont des vauriens.
Ils ne pleureront pas ; car l'orgueil les commande,
Et l'enfant de douze ans devient un chef de bande.

IV

IDYLLE DE PAUVRES

L'hiver vient de tousser son dernier coup de rhume
Et fuit, emmitouflé dans sa ouate de brume.
On ne reverra plus, avant qu'il soit longtemps,
Sur la vitre, allumée en prismes éclatants,
Fleurir la fleur du givre aux étoiles d'aiguilles.
Voici qu'un frisson monte à la gorge des filles !
C'est le printemps. Salut, bois verts, oiseaux chanteurs,
Ciel délicat ! La brise, où flottent des senteurs,
Apporte on ne sait d'où les amoureuses fièvres ;
Et des baisers, errants dans l'air, cherchent des lèvres.

Mais le dur paysan retourne à ses travaux.
Pour lui, qu'importe avril et ses désirs nouveaux ?
Ce qu'il sait seulement, c'est qu'il faut quitter l'âtre,
Qu'il faut recommencer la lutte opiniâtre
Contre la terre en rut, buveuse de sueurs.
Et le chant des oiseaux, l'aube aux fraîches lueurs,
Les papillons, l'azur, lui disent : – Prends ta blouse
Et travaille. La terre est ta femme jalouse
Et veut que tu sois tout à elle, et tout le jour.
Féconde-la, vilain, sans penser à l'amour. –
Et le dur paysan baise la terre grise
Sans humer les senteurs qui flottent dans la brise,
Sans ouvrir sa poitrine aux souffles embrasés.

Où vous poserez-vous, vols errants de baisers,
Essaim tourbillonnant des amoureuses fièvres ?

Heureusement pour vous que les gueux ont des lèvres.

....

(Ici deux gueux s'aimaient jusqu'à la pâmoison,
Et cela m'a valu trente jours de prison.)

....

Ô gueux, enivrez-vous de l'amour printanière !
Allez, sous le buisson qui vous sert de tanière,
Personne ne vous voit que le bois et le ciel.
L'abeille, qui bourdonne en butinant son miel,
Ne racontera pas les choses que vous faites.
Le papillon, joyeux de voir les champs en fêtes,
Vole sans bruit parmi la plaine aux cent couleurs,
Et pour vous imiter conte fleurette aux fleurs.
Seul, un oiseau, perché sur la plus haute feuille,
Entend les mots qu'on dit et les baisers qu'on cueille,
Et semble se moquer de vous, le polisson !
Mais tout ce qu'il raconte en l'air n'est que chanson.
Aimez-vous ! Savourez, loin du monde et des hommes,
Ce qu'on a de meilleur sur la terre où nous sommes !

Pâmez-vous dans les bras l'un de l'autre sans fin !
Abreuvez votre soif d'aimer ! À votre faim
Repaissez-vous longtemps de caresses trop brèves !
Vivez cette minute ainsi qu'on vit en rêves !
Dans le débordement de ce fleuve vermeil
Noyez les jours sans pain, et les nuits sans sommeil,
Et tout ce qui vous reste à vivre dans la dure !
Ô gueux, soyez heureux ! L'amour vous transfigure.
Malgré vos pauvretés, vous êtes riches, beaux.
De l'amour éternel vous portez les flambeaux.
Oui, l'amour qui fait battre à l'instant votre artère,
C'est celui qui féconde autour de vous la terre,
C'est celui dont la brise apporte les senteurs,
C'est celui des bois verts et des oiseaux chanteurs,
Celui qui fait gonfler les seins comme des voiles,
Celui qui dans les cieux fait rouler les étoiles,
C'est l'amour éternel que tout veut apaiser
Et par qui l'univers n'est qu'un vaste baiser.

V

IDYLLE SANGLANTE

Ah ! ah ! voulez-vous-t-y l'histoire
D'la Margot et du grand Frisé ?
Oh ! oh ! l' Frisé aimait à boire ;
Margot itou, mais d' l'aut' côté.

Margot mit sa cotte et ses bas,
Et s'en alla là-bas, là-bas.

Ah ! ah ! c'était sous l' blé en meule
Qu' Margot choutait l'aut', son amant.
Oh ! oh ! l' Frisé, du vin plein l' gueule,
Vint près d'la meule au bon moment.

Sa cott' trousse' plus haut qu' ses bas,
Margot riait là-bas, là-bas.

Ah ! ah ! qu'ell' disait, comm' c'est farce !
Mon cocu s'emplit, j' peux m'emplir.
Oh ! oh ! cria l' Frisé, ma garce,
Tu es trop chaud', j'vas te rfroidir.

Margot j'ta sa cott' sur ses bas
Et s'ensauva là-bas, là-bas.

Ah ! ah ! l'amant, qu'était point brave,
Laissa Margot avé' l' Frisé.
Oh ! oh ! l'Frisé, mâchant d'la bave,
Tira son custach' raiguisé.

Margot dans sa cotte et ses bas

S'empiergeonna là-bas, là-bas.

Ah ! ah ! la pauv' Margot la belle,
Elle eut dans le cou le couteau.
Oh ! oh ! l' Frisé guincha sur elle
Et puis s'lava les patt's dans l'eau.

Margot sur sa cotte et ses bas
A mis du sang là-bas, là-bas.

Ah ! ah ! dit l'Frisé, te v'là morte !
Et l' grand niqu'doul' s'mit à pleurer
Oh ! oh ! qu'il chialait, faut qu' j'emporte
Un bout d'souv'nir pour l'adorer.

Et prenant la cotte et les bas,
Il est parti là-bas, là-bas.
Ah ! ah ! personn' ne sait c' qu'il fiche
Depuis qu'il roul' par les grands ch'mins.
Oh ! oh ! p't et' qu'il est merlifiche,
Va-trop d'chartier, ou tend-la-main.

Mais il a la cotte et les bas
Pou' s' consoler là-bas, là-bas.

VI

SONNET BIGORNE

– ARGOT CLASSIQUE –

Luysard estampillait six plombes.
Mezigo roulait le trimard,
Et jusqu'au fond du coquemart
Le dardant riffaudait ses lombes.

Lubre, il bonissait aux palombes :
« Vous grublez comme un guichemard. »
Puis au sabri : « Birbe camard,
« Comme un ord champignon tu plombes.

Alors aboula du sabri,
Mourc au brisant comme un cabri,
Une fignole gosseline,

Et mezig parmi le grenu
Ayant rivanché la frâline,
Dit : « Volants, vous goualez chenu. »

VII

AUTRE SONNET BIGORNE

– ARGOT MODERNE –

J'ai fait chibis. J'avais la frousse
Des préfectanciers de Pantin.
À Pantin, mince de potin !
On y connaît ma gargarousse,

Ma fiole, mon pif qui retrousse,
Mes calots de mec au gratin.
Après mon dernier barbotin
J'ai flasque du poivre à la rousse.

Elle ira de turne on garno,
De Ménilmucho à Montparno,
Sans pouvoir remoucher mon gniasse.

Je me camoufle en pélican.
J'ai du pellard à la tignasse.
Vive la lampagne du cam !

VIII

BALLADE DU RODEUR DES CHAMPS

Nul ne peut dire où je juche :
Je n'ai ni lit ni hamac.
Je ne connais d'autre huche
Si ce n'est mon estomac.
Mais j'ai planté mon bivac
Dans le pays de maraude,
Où sans lois, sans droits, sans trac,
Je suis le bon gueux qui rôde.

Le loup poursuivi débuche.
Quand la faim me poursuit, crac !
Aux œufs je tends une embûche :
Les poules font cotcodac
Et pondent dans mon bissac.
Puis dans une cave en fraude
Je bois vin, cidre ou cognac.
Je suis le bon gueux qui rôde.

Quand j'ai sifflé litre ou cruche,
Ma cervelle est en mic-mac ;
Bourdonnant comme une ruche,
Mon sang fait tic-tac tic-tac.
Alors je descends au bac
Où chante quelque faraude
Qui me prend pour son verrac.
Je suis le bon gueux qui rôde.

ENVOI

Prince au cul bleu comme un lac,

82/241

Cogne dont l'œil me taraude,
Pique des deux, va ! Clic, clac !
Je suis le bon gueux qui rôde.

IX

LE CHEMIN CREUX

Le long d'un chemin creux que nul arbre n'égaie,
Un grand champ de blé mûr, plein de soleil, s'endort,
Et le haut du talus, couronné d'une haie,
Est comme un ruban vert qui tient des cheveux d'or.

De la haie au chemin tombe une pente herbeuse
Que la taupe soulève en sommets inégaux,
Et que les grillons noirs à la chanson verbeuse
Font pétiller de leurs monotones échos.

Passe un insecte bleu vibrant dans la lumière,
Et le lézard s'éveille et file, étincelant,
Et près des flaques d'eau qui luisent dans l'ornière
La grenouille coasse un chant rauque en râlant.

Ce chemin est très loin du bourg et des grand' routes.
Comme il est mal commode, on ne s'y risque pas.
Et du matin au soir les heures passent toutes
Sans qu'on voie un visage ou qu'on entende un pas.

C'est là, le front couvert par une épine blanche,
Au murmure endormeur des champs silencieux,
Sous cette urne de paix dont la liqueur s'épanche
Comme un vin de soleil dans le saphir des cieux,

C'est là que vient le gueux, en bête poursuivie,
Parmi l'âcre senteur des herbes et des blés,
Baigner son corps poudreux et rajeunir sa vie
Dans le repos brûlant de ses sens accablés.

Et quand il dort, le noir vagabond, le maroufle
Aux souliers éculés, aux haillons dégoûtants,
Comme une mère émue et qui retient son souffle
La nature se tait pour qu'il dorme longtemps.

X

GRAND-PÈRE SANS ENFANTS

Dans un large filet de pur chanvre tressé
Comme l'enfant dormait, doucement balancé
À la branche flexible et sous l'ombre d'un chêne,
Sa mère travaillant à la forêt prochaine,
Un vieux mendiant chauve apparaît tout à coup,
Regarde, et tout joyeux s'approche à pas de loup.
Il baise de l'enfant la figure vermeille ;
Et l'enfant, l'œil mi-clos, croyant rêver, s'éveille.
Et soudain, quand il voit cette bouche sans dents
Qui rit d'un rire énorme avec des trous dedans,
Ce nez gros et camus pourpré du jus des treilles,
Et le double éventail de ces larges oreilles,
Il a peur, il s'écrie, il pleure. Mais le vieux
Avec un air si bon cligne ses petits yeux,
Et dans sa grosse voix met un accent si tendre,
Que l'enfant s'apprivoise et se laisse enfin prendre,
Et doucement frissonne au poitrail inconnu
Qui chatouille du poil son petit pied tout nu.
Avec ses doigts mignons, dans cette toison grise
Il s'amuse à tirer chaque boucle qui frise
Pour la voir revenir sur elle brusquement.
Puis, montrant le gros nez, avec un bégaiement
Il rit, l'admire, y met les deux mains, et s'en joue,
Et pour souffler dedans gonfle déjà sa joue.
Mais le vieux se détourne, et par coups alternés
Lui frotte malgré lui sa barbe sur le nez,
Jusqu'à ce que, saisi par l'oreille, il s'arrête.
Alors aux coups mutins il présente sa tête
Et l'enfant, de ses poings qui tombent tour à tour,
Tape sur le front nu comme sur un tambour

Le vieillard cependant crie en riant sous cape.
Et lui paie en baisers les coups dont il le frappe,
Et le presse sur lui plus amoureusement,
Heureux d'être vaincu dans ce combat charmant,
Qui se fait sans colère et qu'il perd sans défense ;
Car toujours la vieillesse est bonne pour l'enfance.

Mais quel est le plaisir qui ne soit pas amer ?
Dans le cœur du vieillard soudain, comme une mer,
Montent mille regrets qui s'épanchent en larmes.
Du bonheur qu'il n'eut pas il sent trop tard les charmes
Lui qui n'a jamais eu famille ni foyer,
Ni de femme à chérir ni d'enfants à choyer,
Lui qui depuis longtemps ne connut d'autre envie,
Que d'errer sans rien faire au hasard de la vie,
Il se prend à songer, tout bas, avec douleur,
Que le travail est bon, alors qu'il a pour fleur
Un enfant dont on veut rendre le sort prospère.
C'est triste pour un vieux de n'être pas grand-père.

XI

LE MORT MAUDIT

La pauvre antique baraque,
Juchée en haut du coteau,
À toutes les bises craque
Et par tous les joints fait eau.

La porte sans gonds, ballante,
Gémit comme un chat-huant.
C'était la maison roulante
Où couchait le vieux truand.

Le vieux truand, à la brune,
Jetait des sorts aux troupeaux,
Et savait au clair de lune
Faire chanter les crapauds.

Une nuit de grand tonnerre,
Mystérieusement seul
Il est mort, le centenaire
Sans prière et sans linceul.

Ne le voyant plus paraître ;
On est venu chez le vieux.
On a su sa mort. Le prêtre
A dit que c'était tant mieux.

Pour mettre son corps en terre
Nul n'osa franchir le seuil.
Le cadavre solitaire
Eut la hutte pour cercueil.

Aussi, sur la lande bleue
Quand vient l'ombre, épouvanté
Le plus fier fait une lieue
Pour fuir le coteau hanté.

Car on sait que le fantôme
Mort sans un de Profundis
Vous demande un bout de psaume
Pour entrer en paradis,

Et l'on veut avec rancune
Lui laisser pour tout repos
La chanson du clair de lune
Qu'il apprenait aux crapauds.

XII

UN VIEUX LAPIN

À HENRY LAURENT

Ce vieux, poilu comme un lapin,
Qui s'en va mendiant son pain,
Clopin-clopant, clopant-clopin,

Où va-t-il ? D'où vient-il ? Qu'importe !
Suivant le hasard qui l'emporte
Il chemine de porte en porte.

Un pied nu, l'autre sans soulier,
Sur son bâton de cornouiller
Il fait plus de pas qu'un roulier.

Il dévore en rêvant les lieues
Sur les routes à longues queues
Qui vont vers les collines bleues,

Là-bas, là-bas, dans ce lointain
Qui recule chaque matin
Et qui le soir n'est pas atteint.

Il semble sans halte ni trêve
Poursuivre un impossible rêve,
Toujours, toujours, tant qu'il en crève.

Alors, sur le bord du chemin,
Meurt, sans qu'on lui presse la main,
Cet affamé de lendemain.

Étendu sur le dos dans l'herbe,
Il regarde le ciel superbe
Avec ses étoiles en gerbe.

Ah ! là haut, c'est peut-être là
Que son espérance exila
Le but qui toujours recula !

Ah ! là-haut, c'est peut-être l'arche
Vers laquelle ce patriarche
Guidait son éternelle marche !

Quand le dimanche il défilait
Sous un portail son chapelet,
C'est là-haut que son cœur allait !
Là-haut, c'est la terre promise !
Là-haut, pour les gueux sans chemise
Le lit est fait, la table est mise !

Et sans doute ce vagabond
Va s'envoler là-haut d'un bond,
Et ce moment lui semble bon !

Eh bien ! non. Tordu comme un saule.
Ce prisonnier tient à sa geôle.
Il ne veut pas mourir, le drôle !

Il lutte, il hurle comme un fol,
Cambre ses reins, tourne son col,
Et de ses baisers mord le sol.

Il n'a point de céleste envie,
Et dans sa soif inassouvie
Il veut boire encore à la vie.

Sur ce lit de mort sans chevet
Il se rappelle qu'il avait
De bons moments quand il vivait,

Que dans son enfance première
Il dormait chez une fermière
Près de l'âtre de la chaumière,

Que plus tard dans les verts sentiers
Il a passé des jours entiers
À défleurir les églantiers,

Qu'au mois de mars, mois des pervenches,
Il a souvent pris par les hanches
De belles filles aux chairs blanches,

Que le hasard avait grand soin
De lui garder toujours un coin
Bien chaud dans les meules de foin,
Qu'il avalait à pleine tasse
Le vin frais, si doux quand il passe,
Et la bonne soupe bien grasse,

Et qu'il avait beau voyager,
Lui l'inconnu, lui l'étranger,
Chacun lui donnait à manger,

Et que les gens sont charitables
D'ouvrir au pauvre leurs étables,
De lui faire place à leurs tables,

Et que nulle part, même aux cieux,
Les misérables ne sont mieux
Que sur terre ; et le pauvre vieux

Voudrait voir la prochaine aurore
Et ne pas s'en aller encore
Vers l'autre monde qu'il ignore ;

Et la vie est un si grand bien,
Que ce vieillard, ce gueux, ce chien,
Regrette tout, lui qui n'eut rien.

DEUXIÈME PARTIE

GUEUX DE PARIS

À RAOUL PONCHON

À RAOUL PONCHON

Les gens soubmis à Sol, comme buveurs, enlumineurs de museaulx, ventres à poulaine, gueux de l'hostlère, gagne-deniers, dégraisseurs de bonnets, embourreurs de bas, enquêteurs, claquedents, croquelardons, généralement tous portant la chemise nouée sur le dos, seront sains et allègres, et n'auront la goutte de dents quand ils seront de nopces.

(RABELAIS. – *Pantagruéline pronostication certaine, véritable et infaillible, pour l'an perpétuel, nouvellemens composée au profict et advisement des gens étourdis et musarts par nature.*)

Tu sens le vin, ô pâte exquise sans levain.
Salut, Ponchon ! Salut, trogne, crinière, ventre !
Ta bouche, dans le foin de ta barbe, est un antre
Où gloussent les chansons de la bière et du vin.

Aux roses de ton nez jamais l'hiver ne vint.
Tu bouffes comme un ogre et pintes comme un chantre.
Tous les péchés gourmands ont ton nombril pour centre.
Dans Paris, ce grand bois, tu vis tel qu'un sylvain,

Sachant tous les sentiers, mais fuyant les fontaines,
Flairant les carrefours, les ruelles lointaines,
Où les bons mastroquets versent le bleu pivois.

Et j'aime ton plastron d'habit bardé de taches,
Ton pif rond, tes petits yeux fins, ta chaude voix,
Et l'odeur de boisson qui fume à tes moustaches.

LES QUATRE SAISONS

I

ACHETEZ MES BELLES VIOLETTES

Adieu, mars ! Déjà l'on peut voir
Le soleil dorer le trottoir ;
Avril sourit dans les toilettes,
Et sur le devant des cafés
Les messieurs fument, décoiffés.
– *Achetez mes belles violettes !*

Le pierrot flâneur et bavard
Dit que le long du boulevard
Les arbres ne sont plus squelettes
La feuille pousse, je l'entends.
La poussière sent le printemps.
– *Achetez mes belles violettes !*

Les amoureux cherchent un nid.
Les femmes, boursicot garni,
Vont aux printanières emplettes.
Tout le monde sans y penser
A bien deux sous à dépenser.
– *Achetez mes belles violettes !*
Fleurissez-vous, les beaux messieurs !
Mes bouquets sont couleur des cieux.
Mesdames, levez vos voilettes.
Fleurez-moi ça, comme c'est doux !
Fleurez-moi ça, fleurissez-vous.
– *Achetez mes belles violettes !*

II

DU MOURON POUR LES P'TITS OISEAUX

Grand'mère, fillette et garçon
Chantent tour à tour la chanson.
Tous trois s'en vont levant la tête :
La vieille à la jaune binette,
Les enfants aux roses museaux.
Que la voix soit rude ou jolie,
L'air est plein de mélancolie :
Du mouron pour les p'tits oiseaux !

Le mouron vert est ramassé
Dans la haie et dans le fossé.
Au bout de sa tige qui bouge
La fleur bonne est blanche et non rouge.
Il sent la verdure et les eaux ;
Il sent les champs et l'azur libre
Où l'alouette vole et vibre.
Du mouron pour les p'tits oiseaux !

C'est ce matin avant le jour
Que la vieille a fait son grand tour.
Elle a marché deux ou trois lieues
Hors du faubourg, dans les banlieues,
Jusqu'à Clamart ou jusqu'à Sceaux.
Elle est bien lasse sous sa hotte !
Et l'on ne vend qu'un sou la botte
Du mouron pour les p'tits oiseaux !

Les petits trouvant le temps long
Traînent en allant leur talon.
La sœur fait la grimace au frère

Qui, sans la voir, pour se distraire,
Trempe ses pieds dans les ruisseaux,
Tandis qu'au cinquième peut-être
On demande par la fenêtre
Du mouron pour les p'tits oiseaux !

Mais la grand'mère a vu cela.
Un sou par-ci, deux sous par-là !
C'est elle encor, la pauvre vieille,
Qui le mieux des trois tend l'oreille,
Et dont les jambes en fuseaux,
Quand à monter quelqu'un l'invite,
Savent apporter le plus vite
Du mouron pour les p'tits oiseaux !

Un sou par-là, deux sous par-ci !
La bonne femme dit merci.
C'est avec les gros sous de cuivre
Que l'on achète de quoi vivre,
Et qu'elle, la peau sur les os,
Peut donner, à l'heure où l'on dîne,
À son bambin, à sa bambine,
Du mouron pour les p'tits oiseaux !

III

LARMES D'ARSOUILLE

Les voyous les plus noirs sont fous de la campagne.
L'hiver ils vivent dans Paris ainsi qu'au bagne,
Captifs. La liberté pour eux, c'est le printemps.
Aussi, lorsque l'hiver les lâche, ils sont contents.
Pour recevoir Avril, plus d'un se débarbouille,
Et le nouveau soleil illumine l'arsouille.
Il va, droit devant lui, rêveur, sans savoir où,
Gambadant comme un chien et chantant comme un fou
Rien qu'à voir les talus, les fossés et les buttes.
C'est là que, tout gamin, il faisait des culbutes ;
C'est là, les soirs d'été, qu'il se gavait le flan ;
C'est là qu'il enleva son premier cerf-volant ;
C'est là qu'il vint un jour avec Jeanne, la sienne,
Du temps qu'elle portait un tablier d'indienne ;
C'est là qu'en rougissant ils s'assirent, très las,
Et que leur amour frais fleurit comme un lilas.
Or, l'on a beau, depuis, avoir oublié Jeanne,
Vivre comme un cochon, s'abrutir comme un âne,
Après tout on n'est pas un sans-cœur, n'est-ce pas ?

Et le méchant vaurien retrouve à chaque pas
Un nid de souvenirs qui chantent dans son âme.
Oh ! la bonne chanson, qui regrette et réclame !
Ainsi le rossignol n'a qu'à parler, sa voix
Fait taire autour de lui tous les oiseaux des bois ;
Ainsi le doux passé plein de mélancolie
Fait taire le présent de l'arsouille. Il oublie
La noire glu du vice où son cœur est collé,
Les réveils lourds des soirs où l'on a rigolé
Dans la crapule grasse et sale des barrières,

Pour aller s'échouer ivre-mort aux carrières,
Les jours entiers passés à ne rien faire, et ceux
Ensanglantés parmi des coup de poings poisseux,
Et les pierreuses dont on va piquer l'assiette
En trempant une soupe au fond de leur cuvette,
Et ce tas de marée immonde, vase à flot
Dans laquelle on s'endort comme un poisson dans l'eau.
Arrière, cet égout ! Loin d'ici, mauvais rêve !
Le pauvre diable vit cette minute brève
Où le bonheur passé qui vous remonte au cœur
Vous grise d'une amère et suave liqueur ;
Et sans honte de sa faiblesse, sans scrupule,
Sans penser qu'on pourrait le trouver ridicule,
Il pleure doucement, l'arsouille ; et dans ses yeux
Ces pleurs inattendus sont plus délicieux
Que si dans une fleur du soleil embrasée
Un oiseau déposait des gouttes de rosée.

IV

VARIATIONS DE PRINTEMPS SUR L'ORGUE DE BARBARIE

Bonne consolatrice, ô fée, ô Mélodie,
Soupir mélancolique aux sonores langueurs,
Comme au lit des mourants l'homme qui psalmodie
Toi qui verses le baume et la paix à nos cœurs,

Tu sais tout embrasser dans tes formes si vagues
Et merveilleusement revêtir de tes sons,
À la fois ondoyants et forts comme les vagues,
Nos secrets les plus chers que seuls nous connaissons.
Dans l'air qu'il composa, triste ou gai, rude ou tendre,
Qui sait ce que pour nous met le musicien ?
Mais dans l'enivrement que j'éprouve à l'entendre
Qui sait ce que je mets ? Lui-même il n'en sait rien.

Il a chanté l'amour peut-être sans maîtresse,
Parlé de désespoirs sans en avoir aucun.
Qu'importe ? Si sa voix exprime ma détresse,
Sans le savoir, sa voix a chanté pour quelqu'un.

Souvent il a jeté quelques notes joyeuses,
Et pourtant ma douleur tristement s'y complaît.
J'entends rire ou pleurer des voix mystérieuses
Dans un accord banal, dans un air incomplet.

Puis, que de souvenirs, que de choses passées,
De jours évanouis et de bonheurs perdus,
Renaissent brusquement du fond de nos pensées
À des sons oubliés tout à coup entendus !

Il suffit d'un enfant qui chante et qui mendie,
D'un violon criard ou d'un orgue aux abois,
Pour nous remémorer la vieille mélodie
Escortée aussitôt des choses d'autrefois.

C'est ainsi que ce soir, de loin, par ma fenêtre,
Un air d'orgue arrivant sur le vent printanier,
À son refrain vulgaire, et qui fut gai peut-être,
Triste, je me souviens d'un jour, l'hiver dernier.

Malgré les arbres verts aux feuilles d'émeraude
Et les cris des oiseaux fusant dans le ciel bleu,
Je revois devant moi la chambre étroite et chaude
Où j'étais ce jour-là, près du lit, près du feu.

Ce jour-là, je pleurais, oh ! comme un enfant pleure,
Comme on pleure à vingt ans d'une douleur d'amour.
J'écoutais lentement couler, heure par heure,
Au bruit de mes sanglots la longueur de ce jour,

Tout à coup, abîmé dans ma pensée amère,
J'entendis un chant doux au dehors murmurer.
Ô douleur, comme nous qui souffrons, éphémère !
C'en fut assez, hélas ! pour cesser de pleurer.

Le cœur gros mais calmé, je dus quitter ma place
Pour aller entr'ouvrir les rideaux. Il neigeait.
Sous la porte cochère, humide et noire, en face,
Était un pauvre vieux que la bise assiégeait.

Ses doigts tout grelottants, raidis par la froidure
Qui flagellait ce corps de ses coups sans répit,
Tournaient d'un orgue faux la manivelle dure,
Et le son m'arrivait par la neige assoupi.

Je jetai dans la rue une aumône au vieil homme,
Qui s'en alla, mettant son orgue sur son dos.
Puis, sans savoir quel air il jouait, quelle somme
J'avais pu lui jeter, je fermai les rideaux.

Qu'il était loin de moi, ce pauvre air ! Ma maîtresse
Ne m'ayant fait souffrir que pour m'en aimer mieux,
J'avais tout oublié, l'air, le jour, ma détresse,
Orage passager dans l'azur de mes cieux.

Et voilà qu'aujourd'hui soudain je me rappelle,
En entendant cet air, que je l'avais en moi.
Tu reviens me trouver, ancienne ritournelle,
Et tout le passé mort ressuscite avec toi.

Oh ! chante, chante encor par ma fenêtre ouverte,
Ô vieil orgue banal, et criard, et pointu !
Chante ! Dans le ciel bleu, dans la ramure verte,
Je n'entends que toi seul, et je t'aime, vois-tu !

Oui, je t'aime pauvre air qu'on traîne par les rues,
Et celui qui t'a fait ne t'aime pas ainsi.
Car dans le souvenir de tes notes perdues
Il n'avait mis qu'un air ; j'y mets mon cœur aussi.

V

LA PÊCHE À LA LIGNE

Un chapeau de paille jaune
Dont les bords n'ont pas d'ourlet,
Au bout de sa pointe en cône
Une plume de poulet,

Un chapeau de paille encore,
Un troisième, un autre ! Ainsi
Le rivage se décore
Du Point-du-Jour à Bercy.

Sous ces éteignoirs sans nombre
Rien ne bouge. On ne peut voir
Que les pas lents de leur ombre
Qui s'allonge avec le soir.

Pourtant de chaque statue
Sort un grand sceptre en roseau,
Et ce peuple s'évertue
À tremper du fil dans l'eau.

Tout le long de la journée,
Ô destin, tu leur promets
La douce proie ajournée
Qu'ils n'attraperont jamais.
Et pas un ne s'en indigne,
Pas un ne songe à partir !
Car le pêcheur à la ligne
Vit et meurt vierge et martyr,

VI

LES TERRAINS VAGUES

Quand juillet a roussi l'herbe des terrains vagues,
Ils ont l'air de grands lacs de rouille, dont les vagues
Portent pour immobile écume des gravats.

C'est là pourtant, ô gueux de Paris, que tu vas,
Dans ce lugubre champ qui pour fleur a l'ordure,
Quand tu veux par hasard prendre un bain de verdure.
La campagne est trop loin. L'omnibus est trop cher.
Et toi, le Juif-Errant, toi qui marchais hier,
Qui marcheras demain, qui dois marcher sans trêve,
Tu veux faire aujourd'hui ta promenade brève,
Et tout le long du jour, oubliant ta rancœur,
Au verre du repos t'enivrer à plein cœur.

Dans les jardins publics on n'est pas à son aise :
Trop de monde ! D'ailleurs il faut payer sa chaise
Comme à l'église. Il faut être un richard. Ou bien
Si l'on dort allongé sur un banc, un gardien
Surgit, chasse le rêve à sa voix de rogomme,
De son poignet brutal étrangle votre somme,
Et, parmi les badauds dont une meute accourt,
Vous traîne par le col en criant comme un sourd :
« Il faut dormir chez soi quand on est soûl, crapule. »
Et ce gros propre à rien vous flanque sans scrupule
À la porte, et la foule en riant dit merci.

Toi donc qui veux dormir sans gêne et sans souci,
La face vers le ciel et le dos sur la terre,
Tu vas dans un terrain vague, bien solitaire.
Pas de cris. Pas de bruit. Pas de bonne d'enfant.

Pas de gardien. Personne ici ne te défend
De donner à ton corps, qui souffre, un peu de fête,
Et tu peux à ton gré dormir comme une bête.
Des bêtes, en effet, chats morts ou chiens galeux,
Sont tes seuls compagnons, ô coucheur scandaleux
Qui pour *buen retiro* prends cette place immonde
Où gisent les débris honteux de tout le monde.
Que t'importe ? Les pieds fourbus, les membres las,
Tu ne sens nul dégoût d'avoir pour matelas
La cuvette où vomit la cité colossale.
Un lit est toujours doux, même quand il est sale.
Au beau milieu du champ, tu choisis un bon creux,
Où les tessons pointus soient un peu moins nombreux,
Où le sol n'ait pas trop de durillons, où l'herbe
Ne prenne pas un air absolument imberbe.
Tu t'estimes veinard, fadé d'un chouette écot,
Si quelque pissenlit, quelque coquelicot,
Avec son pompon jaune ou bien sa rouge crête
Fait un mouchetis d'ombre au dessus de ta tête.
Dans ce trou, lentement, comme dans un hamac,
Tu te couches, les bras croisés sur l'estomac,
Les jambes en compas, la figure couverte
De ta casquette ; et là, barbe au vent, bouche ouverte,
Dans ce coin de nature où tu te sens chez toi,
Tu goûtes le bonheur de n'avoir point de toit.

VII

LE MARCHAND DE COCO

À la fraîche ! à la glace ! qui veut boire ?
Qui qu'a soif ? qui qui veut boire un bon coup ?
Écoutez la sonnette au vieux Grégoire.
On est soûl pour un sou ; c'est pas beaucoup.

Qui qu'a soif ? Qui qui veut boire à la glace ?
Mais j'ai beau clocheter drelin din din.
Les clients vont gratis à la Wallace.
Mon câlin reste plein ; je suis un daim !

Qui qu'a soif ? qui qui veut boire à la fraîche ?
Sur mon dos au soleil ma glace fond.
De crier, ça me fait la gorge rêche.
J'ai le plomb tout en plomb. Buvons mon fond !

Ah ! mais non. Moi, je veux boire à la glace.
Je suis sec comme un vieux cul d'artichaut.
Et je vais m'humecter à la Wallace.
Mon coco, pour Coco, vrai, c'est trop chaud !

VIII

PLEINE EAU

Les bain' à quat' sous,
Voyez-vous,
C'est bon pour les gens riches.
Moi qu'a pas l' moyen,
Nom d'un chien !
Quand j' veux tremper mes guiches,
Gratis pro Deo
Sans bateau J' m'en vas faire un' pleine eau.

Les bain' à quat' sous,
Voyez-vous,
C'est plein qu'ça en débonde.
L'goujon qu'on y j'tt'rait
Y crèv'rait.
Gna pas d'eau pour tout l'monde.
C'est pour ça qu' c'est cher :
On a l'air
D'y nager dans d'la chair.

Les bain' à quat' sous,
Voyez-vous,
Chacun y laiss' sa trace.
C'est pas drôl' ma foi,
Quan' on boit,
D' gober un bouillon d'crasse.
Ça vous met dans l' cœur une odeur
Comm' d'égout collecteur.

Les bain' à quat' sous,
Voyez-vous,

On n'y trouv' pas d' verdure.
Moi j'aime en plein air,
Comme un ver,
et' vu par la nature.
Lorsqu'entre deux eaux
J'vas su' l' dos,
J'aim' sentir les roseaux.

Les bain' à quat' sous,
Voyez-vous,
Ont un fond d'bois qu'est traître.
Moi qui prends mon bain
Chaqu' matin,
Et qui m'y noy'rai p't'être,
J'veux pour mon sommeil
L' fond vermeil
Où qu' miroite l' soleil.

IX

SOLEIL COUCHANT

Dans les forêts dépouillées
Déjà les feuilles rouillées
Font un tapis de velours,
Et l'on entend de l'automne
Gémir le chant monotone
Coupé par des sanglots lourds.

Les frileuses hirondelles,
Rasant le sol de coups d'ailes,
Se rassemblent à grands cris,
Et tous les oiseaux sauvages
S'appellent sur les rivages
Près des étangs défleuris.

C'est la saison triste et douce
Où l'on rêve, où sur la mousse
En pleurant on vient s'asseoir,
Pour voir le soleil oblique
Dans le ciel mélancolique
Verser les joyaux du soir.

Ici, pas de forêt rousse,
Pas d'étangs et pas de mousse,
Pas de cadre au beau tableau !
Il n'y a que Notre-Dame
Qui dans le couchant s'enflamme,
Empourprée au bord de l'eau.

Mais ailleurs, le long des rues
Où vont les foules bourrues,

Où tout brise l'horizon,
Qui donc dans la nue ouverte
Voit ta robe rose et verte,
Ô douloureuse saison ?

C'est en vain que tu te pares
De tes couleurs les plus rares !
Pour le gouapeur parisien
Le ciel d'automne ressemble,
Étant rouge et vert ensemble,
Aux bocaux d'un pharmacien.

X

UN VIEIL HABIT

À COQUELIN CADET

Qui a joué ce poème partout et ailleurs.

Ô vieil habit, relique orde de temps anciens,
Quel Nestor des marchands d'habits sait d'où tu viens ?
Quel centenaire nous contera les années
Que tu passas parmi les hardes surannées
D'une arrière-boutique, où de fades parfums
S'entassent dans les plis des vêtements défunts ?
Et quel Homère enfin, dénombreur de batailles,
Dira les abdomens, les dos, les reins, les tailles
Qui luttèrent avec ta laine, et les assauts
Que tu subis, depuis les baisers roux et chauds
Du soleil qui mûrit le drap, jusqu'à l'averse
Aiguisée en aiguille insensible qui perce ?
Qui sait les froids grêlons et les rayons ardents
Dont sur ton cuir tanné s'ébréchèrent les dents ?
Qui sait le nom des vents dont la farouche horde
Pour se suicider s'est pendue à ta corde ?
Ô vieil habit, relique orde des temps anciens,
Te rappellerais-tu toi-même d'où tu viens ?

À coup sûr, ce n'est pas de cette maison neuve
Qui vend pour vingt-neuf francs des *complets à l'épreuve,*
Qui par les voix de la réclame a convoqué
La basse gomme, et qui N'EST PAS au coin du quai.
Non, non, vieil habit, toi dont la coupe est austère,
Tu n'eus pas pour berceau ce banal phalanstère

Qui fait sur l'acheteur planer comme un condor
Dans une écharpe rouge un grand calicot d'or.
Non, tu viens du bon temps où le tailleur sincère,
Tirant le fil, soignant le nœud sage qui serre,
Ignorant la machine à coudre et les tramés
Laine et coton, faisait des pantalons aimés,
Et lui-même cousait jusqu'aux ourlets futiles,
Et repliait sous lui ses jambes inutiles.

Ah ! je voudrais les voir nos habits nouveaux-nés,
Faits sur mesure en vingt-quatre heures, façonnés
Sans âme, comme on fait la cuisine à prix fixe,
Eux dont l'étoffe est brève et l'affiche prolixe,
Oui, je voudrais les voir souffrir ainsi que toi,
Vivre en plein air au dos d'un vagabond sans toit,
Avoir des entretiens avec la belle étoile,
Des souffles de l'hiver s'enfler comme une voile,
Se soûler de printemps mouillé, d'été cuisant,
Je voudrais les y voir, nos habits d'à présent,
Les voir durer le temps qu'on a mis à les faire,
Et se fondre, noyés dans ce bain d'atmosphère !
Car vous ne supportez ni le froid, ni le chaud,
Ô Belle Jardinière, ô Pont-Neuf, ô Godchau !

Mais toi, sublime habit, toi, malgré tes reprises,
Tes lambeaux reliés par des ficelles grises,
Tes pans déchiquetés en scie, et tes revers
Où des taches sans nom font des ordres divers,
Malgré ton bras qui, pris de spleen, bâille à l'aisselle,
Malgré ta couleur vague aux tons d'eau de vaisselle,
Malgré tout, tu sais vivre encore, et tu tiens bon,
Aïeul de vêtement, tissu chauve et barbon,
Cuit dans des Saharas, gelé dans des Islandes,
Vétéran, éternel honneur des houppelandes !
Cambronne des habits, en face du trépas,
Tu lui diras : Je meurs, mais je ne me rends pas !
Et je t'ai salué, triste mais toujours digne,
Sur le dos incliné d'un pécheur à la ligne.

XI

VENDANGES

Là-bas, sur les coteaux dorés de la Bourgogne,
Des gars aux larges reins, forts et luisants de trogne,
Font la vendange. On goûte au moût en plein soleil,
Et le sang du raisin qui coule à flot vermeil
N'est pas plus beau ni plus rouge que leur sang rouge.
Chez nous, c'est sous le noir et bas plafond d'un bouge
Que des voyous blafards, couleur tête de veau,
Font la vendange. Ils ont pour vin doux et nouveau
Le liquide appelé *macadam*, une boue
Jaunâtre, fade, et qui fait monter à leur joue
Non la pourpre du sang, mais l'obscur coloris
Du pus prêt à crever au bout d'un panaris.

XII

VARIATIONS D'AUTOMNE SUR L'ORGUE DE BARBARIE

La voix lamentable et meurtrie
Des vieux orgues de Barbarie,
Qui tour à tour chatouille et mord,
Semble la voix triste et falote
D'un fou qui ricane et sanglote
    Sur son lit de mort,

D'un fou qui râle et qui plaisante,
Et qui, sans voir la mort présente,
Pense à ses amours de jadis,
Et de plaintes ou de blasphèmes
Interrompt les adieux suprêmes
    Du *de Profundis*.

De la lugubre mélopée
Soudain la mesure est coupée.
Est-ce un hoquet ? est-ce un soupir ?
Un cri s'enfle et brusquement crève,
Comme un flot, hurlant vers la grève,
    S'y vient assoupir.

Lentement la voix recommence,
Et dit d'une ancienne romance
Le long refrain chargé d'ennuis.
Obscure, tremblotante et douce,
C'est comme une poule qui glousse
    Dans le fond d'un puits.

On se sent venir une larme.

Mais le mélancolique charme,
Douloureux et sentimental,
À l'angle d'un couplet cocasse
Violemment accroche et casse
        Sa voix de cristal.

Et la voix saute, saute, saute,
Toujours plus rapide et plus haute,
Par cris durs, pointus et stridents,
Qui vous font à leur chant farouche
Fermer les yeux, ouvrir la bouche,
        Et grincer des dents.

Oh ! quelle diabolique verve !
Plus vite ! plus haut ! On s'énerve,
On souffre, on bâille. Tout à coup
Un rire de rage et de fièvre
Vient vous morde au coin de la lèvre
        Et vous tord le cou.

Car la voix, jetant un sarcasme,
Étouffe dans un accès d'asthme
Ridicule, et le son pâmé
A l'air d'avaler des arêtes
Avec les étranglements bêtes
        D'un chat enrhumé.

Mais le fou sait jouer son rôle,
Et, s'apercevant qu'il est drôle,
Se met à pleurer et se plaint.
Cette plainte d'abord est telle
Qu'une mouche qui bat de l'aile
        Dans un nez trop plein.

Peu à peu pourtant elle chante
Sur une note si touchante
Qu'elle éteint le rire moqueur ;
Et d'amères rancœurs remplie
Sa navrante mélancolie
        Vous va droit au cœur.

Oubliant ce qu'on vient d'entendre,
On s'apitoie, on devient tendre
Pour le fou qui pleure toujours.
Nos peines ont été les siennes,
Et nous songeons à nos anciennes
        Et tristes amours.

Notre voix à sa voix unie
Chante la lente litanie
Du souvenir et du regret,
Chanson lointaine, monotone,
Et qui ressemble au vent d'automne
        Dans une forêt.

Et quand le pauvre fou s'arrête,
Et meurt en renversant sa tête
Dans un sanglot original,
Quand, tandis que la voix trépasse,
Le *de Profundis* fait la basse
        De l'accord final,

Quelque chose en nous se resserre,
Une larme douce et sincère
De nos yeux pensifs a coulé ;
Et l'orgue en s'en allant nous laisse
La délicieuse tristesse
        D'un rêve envolé.

XIII

À MON AMI SANS-NOM

Caniche errant sans profession

Je t'ai beaucoup aimé, grand voyou de caniche,
Et j'offris bien souvent la pâtée et la niche
    À ton existence sans but.
Mais, par le rire obscur de ta prunelle bleue
Par le geste éloquent et voulu de ta queue,
    Toujours tu me répondais zut !
Pourtant tu m'aimais bien aussi, toi, je l'avoue.
Par le soleil, ou par la pluie, ou par la boue,
    Quand tu voyais l'ami Chepin,
Pour venir avec lui causer de balivernes,
Tu quittais même la grand'porte des casernes
    Où fumait la soupe de pain.

Et cela n'était pas, quoique Bouchor en dise,
Un calcul d'intérêt fait par ta gourmandise :
    Car tu savais bien, pauvre vieux,
Que je ne possédais souvent pas une guigne,
Et qu'en quittant pour moi la soupe de la ligne
    Tu trouvais pis et non mieux.

Mais qu'importe ! C'était mon cœur et non ma bourse
Que tu cherchais, non pas la soupe, mais la source
    Où se rafraîchit l'amitié,
Les longs épanchements qu'on veut toujours entendre,
Souvenirs, vœux, regrets, consolation tendre...
    On souffre, on jouit de moitié.

– Moi, je fais un gros drame, et j'en suis tout en nage,

Mon cher toutou, car mon principal personnage
    Ne se dessine pas très bien.
– Moi, je suis plus joyeux qu'un poète lyrique !
J'ai découvert un trou derrière une barrique,
    Juste de quoi loger un chien.

Et les amours ? – Mon bon caniche, je suis triste.
Car la femme, vois-tu, n'aime pas bien l'artiste.
    Trop plein de désirs superflus.
– À qui le dis-tu, va ? La femelle nous triche.
Si le poète souffre, hélas ! pour le caniche
    Tout n'est pas de rose non plus.

Ainsi, tiens, j'adorais une jeune épagneule,
Mais comme un fou, tu sais. J'en perdais nez et gueule ;
    J'aurais mis pour elle un collier ;
Je me serais fait chien d'aveugle ou chien de garde.
Eh bien ! elle n'a pas voulu de moi, regarde,
    Par peur de se mésallier.

Que de fois j'ai manqué, pour l'attendre, la soupe ?
Mais je n'y pensais guère, et je suivais la troupe
    De ses soupirants, l'œil en feu.
Or, un jour que pour elle à tous je tenais tête,
Elle m'a planté là pour un lévrier bête
    Qui portait un paletot bleu. –

Et tu me faisais part ainsi de tes détresses.
Nous mêlions tous les deux les noms de nos maîtresses,
    Vantant leur charmes, leur baiser.
Et nous allions. La rue était pour nous fleurie
De conversation chère, de flânerie.
    Nous passions le jour à causer.

Où donc es-tu, mon doux ami, mon bon caniche ?
Pourquoi n'as-tu pas pris la pâtée et la niche
    Que je t'offrais pour être mien ?
Franchement, nous étions si bien faits l'un pour l'autre ?
Quelle amitié jamais aura valu la nôtre ?
    Où donc es-tu, mon pauvre chien ?

Où donc es-tu ? Voilà plus d'un an que je traîne
Dans tout Paris, errant ainsi qu'une âme en peine,
    Te cherchant sans t'apercevoir,
Avec ta laine blanche et ta prunelle bleue,
Avec le télégraphe amusant de ta queue
    Qu'ornait un petit pompon noir.

Où donc es-tu ? Vis-tu prisonnière l'attache ?
A-t-on mis les ciseaux dans ta vierge moustache ?
    Ah ! vis-tu seulement ? Ou bien...
Ou bien habites-tu, mort, le pays des songes,
Où la femme et la chienne aimeront sans mensonges
    Le bon poète et le bon chien ?
Quel que soit ton destin, je garde ta mémoire ;
Et si mes vers un jour ont des lueurs de gloire,
    Je veux que ton image y soit.
Ainsi ces médaillons bordés de pierreries,
Qui font vivre à jamais les figures chéries
    Des gens qu'on aimait comme soi.

XIV

PREMIÈRE GELÉE

Voici venir l'Hiver, tueur des pauvres gens.

Ainsi qu'un dur baron précédé de sergents,
Il fait, pour l'annoncer, courir le long des rues
La gelée aux doigts blancs et les bises bourrues.
On entend haleter le souffle des gamins
Qui se sauvent, collant leurs lèvres à leurs mains,
Et tapent fortement du pied la terre sèche.
Le chien, sans rien flairer, file ainsi qu'une flèche.
Les messieurs en chapeau, raides et boutonnés,
Font le dos rond, et dans leur col plongent leur nez.
Les femmes, comme des coureurs dans la carrière,
Ont la gorge en avant, les coudes en arrière,
Les reins cambrés. Leur pas, d'un mouvement coquin,
Fait onduler sur leur croupe leur troussequin.

Oh ! comme c'est joli, la première gelée !
La vitre, par le froid du dehors flagellée,
Étincelle, au dedans, de cristaux délicats,

Et papillotte sous la nacre des micas
Dont le dessin fleurit en volutes d'acanthe.
Les arbres sont vêtus d'une faille craquante.
Le ciel a la pâleur fine des vieux argents.

Voici venir l'Hiver, tueur des pauvres gens.

Voici venir l'Hiver dans son manteau de glace.
Place au Roi qui s'avance en grondant, place, place !
Et la bise, à grands coups de fouet sur les mollets,

Fait courir le gamin. Le vent dans les collets
Des messieurs boutonnés fourre des cents d'épingles.
Les chiens au bout du dos semblent traîner des tringles.
Et les femmes, sentant des petits doigts fripons
Grimper sournoisement sous leurs derniers jupons,
Se cognent les genoux pour mieux serrer les cuisses.
Les maisons dans le ciel fument comme des Suisses.
Près des chenets joyeux les messieurs en chapeau
Vont s'asseoir ; la chaleur leur détendra la peau.
Les femmes, relevant leurs jupes à mi-jambe,
Pour garantir leur teint de la bûche qui flambe
Étendront leurs deux mains longues aux doigts rosés,
Qu'un tendre amant fera mollir sous les baisers.
Heureux ceux-là qu'attend la bonne chambre chaude !
Mais le gamin qui court, mais le vieux chien qui rôde,
Mais les gueux, les petits, le tas des indigents...

Voici venir l'Hiver, tueur des pauvres gens.

XV

JOUR DES MORTS

On n'a pas vu le ciel aujourd'hui. Gris, opaque,
Et très bas, le brouillard est resté suspendu.
Les regards se brisaient au froid de cette plaque,
Métal terni que nul rayon d'or n'a fendu.

Vers le soir seulement, au bord du lourd couvercle
Une lueur, ainsi qu'un fil de sang vermeil,
Se glisse, creuse un trou, puis s'élargit en cercle.
Le brouillard est trempé de gouttes de soleil.

Il s'effrange, il se fond en chauds reflets d'opale,
Et l'on voit vers le sol languissamment neiger
Des flocons de vapeur, ouate de pourpre pâle
Qui vole en tourbillon lumineux et léger.

Deux petits mendiants, blottis sous une porte,
Ouvrent leurs grands yeux bleus vaguement éblouis.
Songeant au cimetière où gît leur mère morte,
Du beau tapis qu'il tombe ils sont tout réjouis.

Car ces flottants flocons de pourpre sont les roses
Qui parfument du ciel les printemps toujours verts,
Et que le bon soleil jette en ces soirs moroses
Sur la terre endormie au tombeau des hivers.

XVI

BALLADE DU DÉGEL

C'est le dégel aux pieds mouillés !
Dans le ciel, dont la toile écrue
A des tons jaunâtres rouillés,
On ne voit plus, lasse et recrue,
Filer en triangle la grue
Vers les lieux où l'oranger croît.
La boue immonde est apparue ;
Mais les pauvres n'ont plus si froid.

À travers bottines, souliers,
Chaussettes et bas, l'eau se rue
Avec des sanglots gargouillés,
Les toits dégouttent dans la rue.
Leur larme salissante et drue
Sur le nez vous tombe tout droit
Comme une roupie incongrue ;
Mais les pauvres n'ont plus si froid.

Les gens les mieux mis sont souillés
Par la crotte, et la malotrue
Donne un allure de rouliers
Même à l'opulence ventrue.
Jusqu'à la femme qu'on a crue
Sans tache, et qui dans maint endroit
Se met de la boue en verrue !...
Mais les pauvres n'ont plus si froid.

ENVOI

Prince, grâce à la fange accrue,

Malgré votre pied très étroit
Vous avez l'air coquecigrue ;
Mais les pauvres n'ont plus si froid.

XVII

BALLADE DE NOËL

Tant crie l'on Noël, qu'il vient.
(FRANÇOIS VILLON.)

C'est vrai qu'il vient, et qu'on le crie !
Mais non sur un clair olifant,
Quand on a la gorge meurtrie
Par l'hiver à l'ongle griffant.
Las ! avec un râle étouffant
Il est salué chaque année
Chez ceux qu'il glace en arrivant,
Ceux qui n'ont pas de cheminée.

Il paraît, la mine fleurie,
Plus joyeux qu'un soleil levant,
Apportant fête et gâterie,
Bonbons, joujoux, cadeaux, devant
Le bébé riche et triomphant.
Mais quelle âpre et triste journée
Pour les pauvres repus de vent,
Ceux qui n'ont pas de cheminée !
Heureux le cher enfant qui prie
Pour son soulier au nœud bouffant,
Afin que Jésus lui sourie !
Aux gueux, le sort le leur défend.
Leur soulier dur, crevé souvent,
Dans quelle cendre satinée
Le mettraient-ils, en y rêvant,
Ceux qui n'ont pas de cheminée ?

ENVOI

126/241

Prince, ayez pitié de l'enfant
Dont la face est parcheminée.
Faites Noël en réchauffant
Ceux qui n'ont pas de cheminée.

XVIII

NOËL MISÉRABLE

Noël ! Noël ! à l'indigent
Il faudrait bien un peu d'argent,
Pour acheter du pain, des nippes.
Petits enfants, petits Jésus,
Des argents que vous avez eus
Il aurait bourré bien des pipes.

Noël ! Noël ! Les amoureux
Sont bien heureux, car c'est pour eux
Qu'est fait le manteau gris des brumes.
Sonnez, cloches ! cloches, sonnez !
Le pauvre diable dans son nez
Entend carillonner les rhumes.

Noël ! Noël ! les bons dévots
S'en vont chanter comme des veaux,
Près de l'âne, au pied de la crèche.
Notre homme trouverait plus neuf
De manger un morceau du bœuf,
Et dit que ça sent la chair fraîche.

Noël ! ça sont les réveillons,
Les bons grands feux pleins de rayons,
Et la boustifaille, et la joie,
Le jambon rose au bord tremblant,
Le boudin noir et le vin blanc,
Et les marrons pondus par l'oie.

Et le misérable là-bas
Voit la crèche comme un cabas

Bondé de viande et de ripaille,
Et dans lequel surtout lui plaît
Un beau petit cochon de lait...
C'est l'enfant Jésus sur sa paille.

Noël ! Noël ! Le prêtre dit
Que Dieu parmi nous descendit
Pour consoler le pauvre hère.
Celui-ci voudrait bien un peu
Boire à la santé du bon Dieu ;
Mais Dieu n'a rien mis dans son verre.

Noël ! on ferme. Allons, va-t'en !
Heureux encore si Satan,
Qui chez nous ces jours-là s'égare,
Te fait trouver dans le ruisseau
Quelque os où reste un bon morceau
Et quelque moitié de cigare !
Noël ! Noël ! les malheureux,
N'ont rien pour eux qu'un ventre creux
Qui tout bas grogne comme un fauve,
Si bien que le bourgeois, voyant
Leur œil dans l'ombre flamboyant,
Au lieu de leur donner, se sauve.

XIX

LA PETITE QUI TOUSSE

Les aiguilles des vents froids
Prennent les nez et les doigts
    Pour pelote.
Quel est sur le trottoir blanc
Cet être noir et tremblant
    Qui sanglote ?

La pauvre enfant ! Regardez.
La toux, par coups saccadés,
    La secoue,
Et la bise qui la mord
Met les roses de la mort
    Sur sa joue.
Les violettes sont moins
Violettes que les coins
    De sa lèvre,

Que le dessous de ses yeux
Meurtri par les baisers bleus
    De la fièvre.
Tousse ! tousse ! Encor ! Tantôt
On croit ouïr le marteau
    D'une forge ;
Tantôt le râle plus clair
Comme un clairon sonne un air
    Dans sa gorge.

Tousse ! tousse ! tousse ! Encor !
Oh ! le rauque et dur accord
    Qui ricane !

Ce clairon large et profond
Sonne pour ceux qui s'en vont
     La diane.

Tousse ! C'est le cri perçant
Du noyé lourd qui descend
     Sous l'écume,
Tousse ! C'est lointain, lointain,
Ainsi qu'un glas qui s'éteint
     Dans la brume.

Tousse ! tousse ! un dernier coup !
Elle laisse sur son cou
     Choir sa tête,
Tel sous la bise un flambeau ;
Et pour la paix du tombeau
     Elle est prête.

Elle épousera ce soir,
Sans bouquet, sans encensoir,
     Sans musiques,
Plus tôt qu'on n'aurait pensé,
L'hiver, ce vieux fiancé
     Des phtisiques.

XX

BALLADE POUR LES PAUVRES PETITS PIERROTS

La neige tient, décidément.
Àpeine le soleil s'allume
Vers midi, dans le firmament
Couleur de suie et de bitume.
On fait bien du feu ; mais ça fume !
Les glaçons brouillent les carreaux.
Quel temps, ce froid dans cette brume,
Pour les pauvres petits pierrots !

Quand on va dehors un moment
À travers l'onglée et le rhume,
On en voit tomber lourdement,
Comme un caillou dans de l'écume,
Sur la neige qui les inhume.
Sa blancheur les rend tout noirauds.
L'hiver dans la mort se résume
Pour les pauvres petits pierrots.

Dans les mansardes mêmement
Il en est d'autres que consume
L'ogre, de chair fraîche gourmand.
Des bébés, que l'on a coutume
D'emmailloter en blanc costume,
Gèlent tous nus sous des sarraux.
Leurs mères sont dans l'amertume
Pour les pauvres petits pierrots.

ENVOI

Prince, tu te sers, je présume,
D'édredons. Fais-y des accrocs
Et tires-en un peu de plume
Pour les pauvres petits pierrots.

XXI

LA NEIGE EST DRÔLE

La neige est drôle. Vlan ! un bouchon blanc vous entre
Dans l'œil. En même temps, sur votre nez carmin
S'aplatit un flocon large comme une main.
Quelle gifle ! L'hiver tout entier s'y concentre.

Paf ! l'un est sur le dos. Pouf ! l'autre est sur le ventre !
Carambolage, bon ! Le passant inhumain,
Tout près d'en faire autant, s'esclaffe, et le gamin
Vous blague en criant : « Pile ou face pour le pantre ! »

On se fâcherait bien. Mais quoi ? soi-même, on rit.
Car tout est si bouffon ! La neige a de l'esprit
Et rend cocasses les objets qu'elle déforme.

Les chevaux d'omnibus ont l'hermine au garrot ;
Le Panthéon prend l'air d'un casque à mèche énorme,
Et dans chaque statue apparaît un Pierrot.

XXII

LA NEIGE EST TRISTE

La neige est triste. Sous la cruelle avalanche
Les gueux, les va-nu-pieds, s'en vont tout grelottants.
Oh ! le sinistre temps, oh ! l'implacable temps
Pour qui n'a point de feu, ni de pain sur la planche !

Les carreaux sont cassés, la porte se déclanche,
La neige par des trous entre avec les autans...
Des enfants, mal langés dans de pauvres tartans,
Voient au bout d'un sein bleu geler la goutte blanche.

Et par ce temps de mort, le père est au travail,
Dehors. Le givre perle aux poils de son poitrail.
Ses poumons boivent l'air glacé qui les poignarde.

Il sent son corps raidir, il râle, il tombe, las,
Cependant que le ciel ironique lui carde,
Comme pour l'inviter au somme, un matelas.

XXIII

LA NEIGE EST BELLE

La neige est belle. Ô pâle, ô froide, ô calme vierge,
Salut ! Ton char de glace est traîné par des ours,
Et les cieux assombris tendent sur son parcours
Un dais de satin jaune et gris couleur de cierge.

Salut ! dans ton manteau doublé de blanche serge,
Dans ton jupon flottant de ouate et de velours
Qui s'étale à grands plis immaculés et lourds,
Le monde a disparu. Rien de vivant n'émerge.

Contours enveloppés, tapages assoupis,
Tout s'efface et se tait sous cet épais tapis.
Il neige, c'est la neige endormeuse, la neige

Silencieuse, c'est la neige dans la nuit.
Tombe, couvre la vie atroce et sacrilège,
Ô lis mystérieux qui t'effeuilles sans bruit !

AU PAYS DE LARGONJI

I

LES MÔMES

Les marchands de marrons allument leurs fourneaux
Aux encoignures des mastroquets, dans les brumes.
Voici le dernier cri des chandes de cerneaux
    Annonçant l'hiver et ses rhumes.

Les petits va-nu-pieds qui n'ont pas de logis
Aux fourneaux à marrons viennent chauffer leurs pattes
Et la porte de feu met sur leurs nez rougis
    Des rayonnements de tomates.

Quand le vieux Savoyard tourne ses gros yeux ronds
Pour voir ce qui se passe au fond de la boutique,
Les petits effrontés lui chipent des marrons
    À la barbe de la pratique.

Ces mômes corrompus, ces avortons flétris,
Cette écume d'égout, c'est la levure immonde
De ce grand pain vivant qui s'appelle Paris
    Et qui sert de brioche au monde.

II

EAU FORTE

Il tonnait. Il pleuvait. Les ruisseaux soulevés
Rebondissaient en boue aux angles des pavés.
Calme, un voyou sifflant recevait l'avalanche,
La casquette collée au front, la face blanche,
La pipe retournée et rouge par-dessous.
Il avait vu sauter une pièce cent sous,
Se cognant au trottoir dans un bruit de cymbales.
Un écu flambant neuf, un blafard de cinq balles !
Il le pigea d'un bond, et le petit truand
Fit un grand pied de nez au ciel tonitruant.

III

AUTRE EAU-FORTE

La viscope en arrière et la trombine au vent,
L'œil marlou, il entra chez le zingue, et levant
Sa blouse qui faisait sur son ventre une bosse,
Il en tira le corps d'un chat : « Tiens dit le gosse
Au troquet, tiens, voici de quoi faire un lapin. »
Puis il prit son petit couteau de goussepain,
Dépouilla le greffier, et lui fit sa toilette
Avec le geste d'un boucher de la Villette.
Et l'on riait. Car nul ainsi que ce crapaud
Ne sut déshabiller un matou de sa peau.

IV

VOYOU

J'ai dix ans. Quoi ! ça vous épate ?
Ben ! c'est comm' ça, na ! j'suis voyou,
Et dans mon Paris j' carapate
Comme un asticot dan' un mou.

Sous l'bord noir et gras d' ma casquette,
Avec mes doigts aux ongu' en deuil,
J' sais rien m'coller eun' rouflaquette
Tout l' long d'la temp', là, jusqu'à l'œil.

J' peux m'parler tout ba' à l'oreille
Sans qu' personne entend' rien du tout.
Quand j' rigol', ma gueule est pareille
À cell' d'un four ou d'un égout.

Mais jamb's sont fait's comm' des trombones.
Oui, mais j'sais tirer–gar'là-dessous ! –
La savate, avec mes guibonnes
Comm' cell's d'un canard eud' quinz' sous.

J'ai l' piton camard en trompette.
Aussi, soyez pa' étonnés
Si j'ai rien qu' du vent dans la tête :
C'est pa'c'que j'ai pas d'poils dans l'nez.

Près des théâtres, dans les gares,
Entre les arpions des sergots
C'est moi que j'cueill'les bouts d'cigares,
Les culots d'pipe et les mégots.

Ben, moi, c't'existenc'-là m'assomme !
J'voudrais posséder un chapeau.
L'est vraiment temps d'dev'nir un homme.
J'en ai plein l'dos d'être un crapaud.

Les pant' s doiv'nt me prend' pour un pître,
Quand, avec les zigs, sur eul' zinc,
J'ai pas d'brais' pour me fend' d'un litre,
Pas mêm'd'un meulé-cass'à cinq.

Vrai, vous savez, c'est pas ma faute.
J'fais quoi que j'peux. J'vous dirais ben
Pourquoi c'est que j'suis pas d'la haute.
J'l'avais mêm' dit a m'sieu Rich'pin.

Mais faut croir' que ça doit pas s'dire.
Puisque, pour s'êt' fait mon écho,
On l'a fourré dans la tir'lire
Avec les pègres d'Pélago.

V

UN COUP D'BLEU

Si les prop' à rien
Nom d'un chien !
Ont l'droit de s'piquer l'blaire,
Moi qu'ai toujours à faire,
Nom de Dieu !
J'peux boire un coup d'bleu.

Quand j'siffle un canon,
Nom de nom !
C'est pas pour faire l'pantre.
C'est qu'j'ai plus d'cœur au ventre,
Nom de Dieu !
Après un coup d'bleu.

Pa'ç'que j'aime l'vin,
Nom d'un chien !
Va-t-on pas m'fout'au bagne ?
J' dépens'la brais que j'gagne,
Nom de Dieu !
Quand j'pompe un coup d'bleu.

Faut ben du charbon
Nom de nom !
Pour chauffer la machine.
Au va-nu-pieds qui chine,
Nom de Dieu !
Faut son p'tit coup d'bleu.

VI

BALOCHARD

Y a des gens qui va en sapins,
En omnibus et en tramways.
Tous ces gonç's-là, c'est des clampins.
Des richards, des muf's, des gavés.

Avec le cul sur un coussin,
On n'a pas l'plaisir épatant
D'détacher auprès d'un roussin
Un'pastill'dans son culbutant.

Puis, dans un' roulotte, on n' voit rien :
Tout d'vant vous fil' comme un rébus.
Pour louper, faut louper en chien.
L' chien n' mont' pas dans les omnibus.

Mais quoi ! Ces ventrus sur leurs pieds
N' peuv'nt plus supporter leur gaviot.
Dans les veines d'ces estropiés,
Au lieu d' sang il coul' du morviot.

Ils ont des guiboll's comm' leur stick,
Trop d' bidoche autour des boyaux,
Et l'arpion plus mou qu' du mastic.
Les pavés leur sembl'nt des noyaux.

Moi, d'marcher ça n' me fout pas l' trac.
J'ai l'arpion plus dur que des clous.
Deux ronds d' brich'ton dans l'estomac,
C'est pas ça qui m' pès' sur les g'noux.

Aussi j'laisse l' chic et les chars
Aux feignants et aux galupiers,
Et j' suis le roi des Balochards,
Des Balochards qui va-t-à-pieds.

Où que j' vas ? çà vous r'garde pas.
J' vas où que j' veux, loin d'où que j' suis.
C'est à côté, tout près d'là-bas.
Mon pif marche d'vant, et je l' suis.

VII

PAS FRILEUX

Moi j'ai l' cœur gai. C'est pas ma faute.
J'rigol' quand j' vois les gens d'la haute
L'cou engoncé comme des bossus.
On doit rien suer sous leur capote !
Et quand qu'on a sué, çà ch'lipote.
J'voudrais pa' et' leur pardessus.

Et moi sauciss', j'su' quand j' turbine.
Mais, bon sang ! la danse s'débine
Dans l' coulant d'air qui boit ma sueur.
Eux aut's, c'est pompé par leur linge.
Minc' qu'ils doiv' emboucanner l' singe.
Vrai, c'est pas l'ling' qui fait l'bonheur.

Est-c' qu'un mâle a besoin d'limace,
D' can'çon, d' flanell' ? C'est d'la grimace.
Bon pour frusquiner nos jeun's vieux !
Moi, j'ai du sang, du nerf, d'la moelle,
Du poil partout. Ça m'tient lieu d'toile.
J'ai froid null' part, surtout aux yeux.

Aussi j' suis gai. Quand la lansquine
M'a trempé l' cuir, j' m'essui' l'échine
Dans le vent qui passe et m' fait joli ;
Et j' soutiens qu' les gens vraiment sales
C'est ceuss que pour laver leurs balles
Il leurs en faut cinque d'Bully.

Viv' la gaîté ! J'ai pas d' chaussettes ;
Mes rigadins font des risettes ;

Mes tas d'douilards m' servent d'chapeau ;
Mais avec vous j' chang'rais pas d'mise.
Qué qu' ça fait qu'on n'ait pas d' chemise,
Quand qu'on a du cœur sous la peau ?

VIII

POIVROT

Eh ben ! oui, j' suis bu. Et puis, quoi ?
Que qu' vous m'voulez, messieurs d'la rousse ?
Est-ç' que vous n'aimez pas comm' moi
À vous rincer la gargarousse ?

Voyez-vous, frangins, eh ! sergots,
Faut êt' bon pour l'espèce humaine.
D'vant l' pivois les homm's sont égaux.
D'ailleurs j'ai massé tout' la s'maine.

(Tu sais, j' dis ça à ton copain,
Pa'ç'que j'vois qu' c'est un gonç' qui boude.
Mais entre nous, mon vieux lapin,
J'ai jamais massé qu'à l'ver l'coude.)

Après six jours entiers d' turbin,
J' me sentais la gueule un peu sale.
Vrai, j'avais besoin d' prend' un bain ;
Seul'ment j'l'ai pris par l'amygdale.

J' sais ben c' que vous m' dit's : qu'il est tard,
Que j' baloche et que j' vagabonde.
Mais j' suis tranquill' j' fais pas d'pétard.
Et j' crois qu' la rue est à tout l' monde.

Les pant's sont couchés dans leurs pieux,
Par conséquent je n' gên' personne.
Laissez-moi donc ! j' suis un pauv' vieux.
Où qu' vous m'emm'nez, messieurs d'la sonne ?

Quoi ? vrai ! vous allez m' ramasser ?
Ah ! c'est muf ! Mais quoi qu'on y gagne !
J'm'en vas vous empêcher d'pioncer.
J' ronfle comme un' toupi' d'All'magne.

IX

SANS DOMICILE

Qui ça ? moi, sans domicile !
Si on peut dir' ! J'en ai rien.
J'en ai des cent et des mille.
Seul'ment j'en trouv'pa' un d' bien.

J' couch' quéqu'fois dans des bâtisses ;
Mais on en sort blanc partout.
Ça vous donn' l'air d'un artisse !
J'ai m' pas ça. Chacun son goût.

J' couch' quéqu'fois sous des voitures ;
Mais on attrap' du cambouis.
J' veux pas ch'linguer la peinture
Quand j' suc' la pomme à ma Louis.
J'couch' quéqu'fois dans les fortifes ;
Mais on s'enrhum' du cerveau.
L'lend'main, on fait l'chat qui r'niffe,
Et l' blair' coul' comme un nez d' veau.

J' couch' quéqu'fois sur un banc d' gare ;
Mais le ch'min d' fer à côté
Fout tout l' temps du tintamarre.
Les ronfleurs, ça m'fait tarter.

J' couch' quéqu'fois dans des péniches ;
Mais quand on s' réveill', tabeau !
La Sein' vous a fait c'te niche
D' vous tremper l' cul. Moi j' crains l'eau.

J' couch' quéqu'fois dans des pissoires ;

Mais on croit, quand vous sortez,
Qu' vous v'nez d'y fair' des histoires,
Et j'suis pas pour ces sal'tés.

J' couch' quéqu'fois chez des gonzesses ;
Mais j' suis dégoûté d'leur pieu.
Il y pass' trop d' pairs de fesses.
J'suis délicat, nom de Dieu !

Enfin quéqu'fois quand on m'pomme,
J'couch' au post'. C'est chouett', c'est chaud,
Et c'est là qu'on trouve, en somme,
Les gens les plus comme il faut.

X

BALLADE DES LOUPEURS

C'est nous qu'est les ch'valiers d'la loupe.
Pour ne rien fair' nous nous hâtons.
Sans penser à tremper not' soupe,
N'importe où nous nous empâtons
D'arlequins, d' briffe et d'rogatons,
Quéqu'fois d'saucisse et d'attignoles.
Quand nous somm's pleins, nous éclatons
Du cabochard aux trottignolles.

Nous somm's dans c'goût-là toute eun'troupe,
Des lapins, droits comm' des bâtons,
Avec un rideau sur la croupe,
Un grimpant et des ripatons,
Eun' cintièm' quand nous nous gâtons,
Et vl'a ! d'Montmartre aux Batignolles,
Nous somm's rien bath ! Nous épatons
Du cabochard aux trottignolles.

D' temps en temps nous tirons not' coupe
Su' l' grand boul'vard. Des vrais chatons
Quand nous naviguons ! vent en poupe !
Les galup's qu'a des ducatons
Nous rinc'nt la dent. Nous les battons
Qu' les murs leur en rend'nt des torgnioles.
L'soir nous somm's soûls comm' des hann'tons
Du cabochard aux trottignolles.

ENVOI

Princes, gens d'la haut', tas d' mich'tons,

Vous nous croyez des carmagnoles.
C'est pas vrai. Doux comm' des moutons
Du cabochard aux trottignolles !

XI

BALLADE DU RÔDEUR DE PARIS

Bon sang d' bon Dieu ! quel turbin !
J'viens d'mett' mon pied dan' eun' flaque :
C'est l'hasard qui m'offre un bain.
Vlan ! v'là l' vent qui m'fiche eun'claque.
Fait vraiment un froid d'attaque.
Quand j' pens' que j' suis pas couvert.
Et qu' j'ai pas d' poils comme un braque !
C'est pas rigolo, l'hiver.

R'mouchez-moi un peu c' larbin
Sous sa fourrure ed' cosaque.
Comme i' pu' bon l'eau d' Lubin !
I' s' gour' dans son col qui craque
Comme un' areng dans sa caque.
Oh ! la ! la ! C't'habillé d'vert !
Oui, mais moi, v'là que j'me plaque.
C'est pas rigolo., l'hiver.

Et ç'uilà, l'est pas lambin.
Non de nom ! comme i' s' détraque,
Avec son bec-ed'-corbin
Et son londrès neuf qu'i' sacque !
Tiens ! i' rent' dans sa baraque.
La mienne est à ciel ouvert.
Avec un parquet d' déflaque.
C'est pas rigolo, l'hiver.

ENVOI

Prince, il fait nuit ; l' ciel est opaque.

Viens-tu ? J' vas poisser d'l'auber...
Au bagn' j'aurai eun' casaque !
C'est pas rigolo, l'hiver.

XII

LES TRIOLETS DE NAVET

Ce marloupatte pâle et mince
Se nommait simplement Navet ;
Mais il vivait ainsi qu'un prince
Ce marloupatte pâle et mince.
Il aimait les femmes qu'on rince.
Navet mangeait plus qu'il n'avait.
Ce marloupatte pâle et mince
Se nommait simplement Navet.

Fort des flûtes et de la pince,
Il était respecté, Navet.
N'ayant rien de ceux qu'on évince,
Fort des flûtes et de la pince,
Aux plus rupins il disait mince
Et cognait dur. On le savait
Fort des flûtes et de la pince.
Il était respecté, Navet.
Malheur aux pantres de province
Qui flouaient la taupe à Navet !
Comme au drame, il criait : Vingince !
Malheur aux pantres de province !
Souvent, lardé d'un coup de bince,
Le micheton nu se sauvait.
Malheur aux pantres de province
Qui flouaient la taupe à Navet !

XIII

DAB

Paraît que j' suis dab ! ça m'esbloque.
Un p'tit salé, à moi l' salaud !
Ma rouchi' doit batt' la berloque.
Un gluant, ça n' f' rait pas mon blot.

Que qu' j'y foutrai dans la trompette,
À c' lancier-là, s'il vient vivant ?
À moins qu'il sorte un jour que j' pète
Et qu'il veuill' tortorer du vent.

Et puis, quoi, Fifine a trop d' masse
Pour s' coller au pucier. Mais non !
Pendant qu'elle y f' rait la grimace,
Quoi donc que j' bouffrais, nom de nom ?

Moi, j'ai besoin qu' ma Louis turbine.
Sans ça j' tire encore un congé
À la Maz ! Gare à la surbine !
J' devins grinch' quand j'ai pas mangé.

XIV

DOS

Alors, vrai, vous trouvez qu' je m' goure ?
Et puis après ? J'ai un chouett' moure,
La bouch' plus p'tit' que les calots,
L'esgourd' girond' comme un' Ostende.
Aussi j'm'ai dit : Vivons d' not' viande !
     J'aim' mieux êt' dos.

D'ailleurs, c'est pas rien que d'ma faute.
J'ai voulu masser comme un aut'e ;
J'ai eu des jours pas rigolos ;
Mais ça m'rend malad' quand que j'chine.
J'ai une arête en plac' d'échine.
     J'aim' mieux et' dos.

Franch'ment, quoi fout' ? de l'épic'rie ?
Débiter d'la moru' pourrie,
Aussi pourri' qu' les aristos ?
Là, sans blagu', c'est y dans l' commerce
De l'hareng saur qu'un maqu'reau perce ?
     J'aim' mieux êt' dos.

P't-êt' qu'en maquillant dans la banque... ?
Avec d'la galette à la manque
On fait suer l'pognon des gogos.
Bon p'tit truc ! J'y dirais bien tope !
Mais bah ! L'mien est encore plus prop'e.
     J'aim' mieux êt' dos.

J'ai pensé, pour me tirer d'peines,
À m' fair' frèr' des écoles chrétiennes.

Ah ! ouiche ! Et l'taf des tribunaux ? Puis,
j' suis pas pour les pant' en robe.
Avoir l'air d'un mal', v'là c' que j' gobe.
    J'aim' mieux êt' dos.

J'ai bien quéqu'part un camerluche
Qu'est dab dans la magistrat'muche.
Son jaspin esbloqu' les badauds.
Il veut m'insinuer dans la rousse.
Pourquoi pas m' fair' bouffer d'la mousse ?
    J'aim' mieux et' dos.

Final'ment, sur tout ça j' me mouche.
L'turbin. c'est bon pour qui qu'est mouche.
À moi, il fait nib' dans mes blots.
Avec un' frim' comm' j'en ai une,
Un mariol sait trouver d'la thune.
    J'aim' mieux et' dos.

C'est la raison pourquoi qu' je m'goure.
Mon gniasse est bath : j'ai un chouett'moure,
La bouch' plus p'tit' que les calots,
L'esgourd' girond' comme un' Ostende.
Aussi, j'm'ai dit : Vivons d' not' viande !
    J'aim' mieux êt' dos.

XV

DOCHE

Allons, ma fill', l'est temps d' briffer.
Au truc !... Quoi ? tu veux rentiffer ?
Gy ? Pas la pein' d'et' si gironde ?
Alors, ta doch', tu la gob' pas ?
Faut qu'al' tortor'. Nib' dans l' cabas.
Qui qu'a massé pou' t' fout' au monde ?

Bon, tu chial' ! Ah ! c'est pas palas.
J' conobre l'truc ; l' est dégueulas,
J'sais ben. Mais quoi ? Quand l'gaviot gronde
On maquill' pas tout comme on veut.
Mezig, dans l'temps, un peu, mon n'veu !
Qui qu'a massé pou' t'fout' au monde ?

T'as pas d' mec. Ça, c'est bath ! Merci.
Tout d'mêm', dis pas niort au persil.
Sans lui, bonsoir la bagu'naud' ronde !
Moi j' suis birbass', j'ai b'soin d'larton.
T'as donc un palpitant d' carton ?
Qui qu'a massé pou' t'fout' au monde ?

T'as entervé. Chouett', mon amour.
Va, la môm', truque et n' fais pas four.
Sois rien mariolle et à la sonde !
Pense à ta daronn' qu'al' t'aim' tant.
J'vas prendr' un' prune en t'attendant.
Qui qu'a massé pou' t' fout' au monde ?

XVI

LA MARSEILLAISE DES BENOITS

Vlà les fanand's qui radinent,
    Ohé ! tas d'poch'tés,
Les gonciers qui nous jardinent
    I' s'ront vraiment j'tés.
Nous la r'levons rien qu' dans l' riche,
    Malgré nos rideaux.
Gare au bataillon d'la guiche !
    C'est nous qu'est les dos.

Quand on paie en monnai' d' singe
    Nous aut' marloupins,
Les sal's mich'tons qu'a pas d'linge,
    On les pass' chez paings.
Et si la p'tit' ponif triche Su' l' compt' des rouleaux,
    Gare au bataillon d'la guiche !
C'est nous qu'est les dos.

Pour les vieux tendeurs qu'assomme
    Une ronfle à grippart,
On s' camoufle en p'tit jeune homme,
    En tant' figne-à-part.
Quand l' pant' a l' doigt dans la miche,
    S'i' n' casque pas gros,
Gare au bataillon d'la guiche !
    C'est nous qu'est les dos.

Si nos doch' étaient moins vieilles,
    On les f'rait plaiser.
Mais les pauv' loufoqu's balaient
    Les gras d'nos laisées.

Quand qu'ail' rappliqu'à la niche,
    Et qu' nous somm's poivrots,
Gare au bataillon d'la guiche !
    C'est nous qu'est les dos.

Bref, tout ça s'rait d'la choquotte.
    Mais c' qu'est triste, hélas !
C'est qu' pour crever à coups d'botte
    Des gens pas palas,
On vous envoie en péniche
    À Cayenn'-les-eaux.
V'là dans l' bataillon d'la guiche !
    Comment craps'nt les dos.

Vous savez, la p'tit' coterie,
    L' couplet d'à coté,
C'est d'la colle et d'la chierie ;
    La vrai' vérité,
C'est qu' les Benoits toujours lichent,
    Et s' graiss'nt les balots.
Vive eul' bataillon d'la guiche !
    C'est nous qu'est les dos.

XVII

BLANC OU ROUGE

Si j'ai pas l' rond, mon surin bouge.
Or, quand la pouffiace a truqué,
Chez moi son beurre est pomaqué.
Mieux vaut bouffer du blanc qu' du rouge.

Si j'ai pas l' rond, mon surin bouge.
Moi, c'est dans le sang qu' j'aurais truqué.
Mais quand on fait suer, pomaqué !
Mieux vaut bouffer du blanc qu' du rouge.

Si j'ai pas l' rond, mon surin bouge.
C'est pourquoi qu' la gouine a truqué,
Pour qu' Bibi soit pas pomaqué.
Mieux vaut bouffer du blanc qu' du rouge.

Si j'ai pas le rond, mon surin bouge.
Un jour qu'elle aurait pas truqué,
Faudrait buter. J' s'rais pomaqué !
Mieux vaut bouffer du blanc qu' du rouge.

XVIII

UN VÉNÉRABLE

Τέχνα παιδεύειν. — *Cléobaulos.*
Γονεῖς αἰδοῦ. — *Solôn.*
Πρεσβύτερον σέβου. — *Chilôn.*
Κτῆσαι καλοκαγαθίαν. — *Pittacos.*
Χαλεπὸν τὸ εὖ γνῶναι. — *Thalès.*
Φρόνησιν ἀγάπα. — *Bias.*
Καλὸν ἡσυχία. — *Periandros.*

Certes, ce n'était pas un banquier, un notaire,
Un avocat. Pourtant, je ne saurais m'en taire,
Il était respectable et grave, étant très vieux.

Malgré ce que pouvaient dire les envieux,
Quoi qu'il fût de ces gens sans habits de dimanche,
Qui, se peignant des doigts, se mouchent de la manche ;
Quoiqu'il portât parmi sa barbe et ses haillons
Une odeur de sueur ancienne et de graillons ;
Quoiqu'il eût pour garni l'hôtel de la Grande-Ourse.
Cet égorgeur de poche et dégraisseur de bourse ;
Quoiqu'il fût d'un aspect sinistre et scandaleux,
Marmiteux, vermineux, teigneux, rogneux, galeux,
Rouge comme un abcès, rongé comme une dartre,
Il récoltait des coups de chapeau dans Montmartre.

C'était un vieux roublard, un antique marlou.

Jadis on l'avait vu, denté blanc comme un loup,
Vivre pendant trente ans de marmite en marmite.
Plus d'un des jeunes dos, et des plus verts, l'imite.

Il leur parle comme aux chefs grecs parlait Nestor.
Et celui-là qui suit ses conseils n'a pas tort.
Car il est au courant de toutes les histoires,
Sait les aboutissants des femmes méritoires,
Se feuillette comme un dictionnaire entier,
Et vous enseigne à fond tous les trucs du métier.

Aussi, quand, il mourra, car il faut que tout tombe,
On souscrira pour lui décerner une tombe ;
Les plus durs pousseront des soupirs superflus,
Et l'on ira disant que le grand art n'est plus.

En attendant, s'il vit sous ces sales défroques,
C'est qu'il le veut ainsi, c'est qu'il chérit ses loques,
C'est qu'il tient à porter son uniforme ancien,
Comme un vieux général aime à montrer le sien ;
C'est qu'il est fier de voir, devant sa triste mise,
Les modernes marlous à la fine chemise,
Au col cassé rayé de lignes en couleur,
Aux pantalons pattus, aux cravates en fleur,
Soulever en passant leur casquette de soie.
Être ainsi salué, c'est sa gloire et sa joie.
Se sentir un aïeul adoré, quel bonheur !
N'est-ce pas comme qui dirait sa croix d'honneur ?

Ô vénérable ! On l'aime, on le gave, on le soûle,
Pour montrer aux enfants, aux femmes, à la foule,
Qu'un vieillard a toujours tout ce qu'il doit avoir
Lorsque dans sa partie il a fait son devoir.

TROISIÈME PARTIE

NOUS AUTRES GUEUX

À MATRICE BOUCHOR

NOS GAIETÉS

I

NOS GAIETÉS

Quand, soûls, nous braillons un chant,
D'aucuns vont nous reprochant
Notre dignité partie.
Laissez-nous ! les jours sont courts.
On n'est pas gai tous les jours
    Dans notre partie.

Vous nous appelez des fous.
Mais, braves gens, savez-vous
Que pour vous jouer ce rôle
Nous crevons de faim souvent ?
Et dîner avec du vent,
    Ce n'est pas très drôle.

La faim, la soif et le froid
Sont les sujets de ce roi
Qui s'intitule poète.
Pauvre roi, qui plus d'un jour
Donnerait toute sa cour
    Pour une omelette !

C'est entendu, c'est certain,
Nous aurons quelque matin
Notre colonne Trajane.
En attendant ce moment,
Nous la changerions vraiment

Pour un mac-farlane.

L'auréole et ses rayons,
Sacrebleu ! nous les payons
En misère avec usure.
Nous célébrons nos los.
Quel hymne ! Mais nos sanglots
    Battent la mesure.

Vous qui buvez sans témoins,
Et qui mangez pour le moins
Trois fois par jour à votre heure,
Taisez-vous, quand par hasard
Nous attrapons une part
    De l'assiette au beurre.

Ne faites pas les méchants.
N'ayez pas, grâce à nos chants,
Des digestions moins calmes.
Ventres creux et gosiers secs,
Nous aimons vins et biftecks
    Autant que les palmes.

Laissez-nous donc rire un peu.
Aujourd'hui le ciel est bleu,
Notre tristesse est partie.
Laissez-nous ! les jours sont courts.
On n'est pas gai tous les jours
    Dans notre partie.

II

CHANSON DES CLOCHES DE BAPTÊMES

Orléans, Beaugency.
Notre-Dame de Cléry,
Vendôme,
Vendôme !

Quel souci, quel ennui,
De compter toute la nuit
Les heures,
Les heures !

Philistins, épiciers,
Alors que vous caressiez
Vos femmes,
Vos femmes,

En songeant aux petits
Que vos grossiers appétits
Engendrent,
Engendrent,

Vous disiez : ils seront,
Menton rasé, ventre rond,
Notaires,
Notaires.

Mais pour bien vous punir,
Un jour vous voyez venir
Au monde,
Au monde,

Des enfants non voulus

Qui deviennent chevelus
    Poètes,
    Poètes.

Car toujours ils naîtront
Comme naissent d'un étron
    Des roses,
    Des roses.

III

LE NEZ VIOLET

À RAOUL PONCHON

Comparer toujours nos nez
        Bourgeonnés
À des rubis, je condamne
Cette comparaison-là.
        Changeons-la !
Qui n'a qu'un cri n'est qu'un âne.

Aux nez rubis rubiconds
        Nous piquons
La couleur de sang ; c'est triste.
J'aime le mien quand il est
        Violet
Comme une douce améthyste.

Vois ce nez rouge et camard,
        Quel homard !
Compare-le donc avecque
Le tendre et clair demi-ton
        Du piton
Habillé comme un évêque.

Quand je lorgne en tapinois
        Son minois,
Il sourit comme un augure.
Ah ! quel bon évêque j'ai
        Bien logé
Au mitan de ma figure.

Pour qu'il soit bien enchanté
        En santé,
Mes mains de lui sont voisines.
Mes dix doigts sont ses valets.
        Mon palais
Flambe au feu de ses cuisines.

Mais il me rend bien mon dû.
        Rond, dodu,
Il semble un roi de kermesse,
Et jamais mon verre plein
        Ne se plaint
Quand au fond il dit la messe.

Tu me diras que le tien
        Est chrétien
Ni plus ni moins que le nôtre,
Et qu'un rouge cardinal
        Moins banal,
Comme évêque en vaut un autre.

Moi, je te soutiens que non,.
        Non de nom !
Car un cardinal peut être
Un monsieur laïque, au lieu,
        Nom de Dieu !
Qu'un évêque est toujours prêtre.

Te voilà par le clergé
        Submergé,
Ponchon, grand nez-culottiste ?
Nez de rubis, singe-nous !
        À genoux
Devant le nez d'améthyste !

IV

IVRES-MORTS

Si nous faisions une orgie,
    Trognon, qu'en dis-tu ?
Lit défait, nappe rougie,
    Zut à la vertu !
Notre amour qui vient de naître
Demain sera mort peut-être
Avec cette nuit d'été.
Pour qu'il voie au moins l'aurore
Il faut boire, et boire encore,
    Boire à sa santé.

Le vin coule, coule, coule.
    Coulons comme lui.
Sous le large flot qu'il roule
    Roulons notre ennui.
Dans sa pourpre qui ruisselle
Flambe une longue étincelle,
Rayon du couchant vermeil.
Afin d'égorger ma peine,
Prends ma poitrine pour gaine,
    Poignard de soleil.

Le vin glousse une romance
    Dans les longs goulots.
Les flacons à large panse
    Versent des sanglots.
Le flot chantant diminue.
La bouteille toute nue
Va tomber en pâmoison ;
Et dans ce cristal splendide,

Comme moi sonore et vide,
    Dort notre raison.

Tiens ! je bois. Passez, muscade !
    Toi, les doigts tremblants,
Ton vin fuit et fait cascade
    Entre tes seins blancs.
Comme il s'éparpille en route !
Au tétin rose une goutte
Forme un rubis rouge et clair.
Flacon qu'un joyau décore,
Je veux mordre et mordre encore
    Ton goulot de chair.

Comme des bœufs à l'étable
    Laissant choir nos fronts,
Mignonne, entrons sous la table ;
    Nous y dormirons.
Loin du fauve éclat des lampes
Nous rafraîchirons nos tempes
Dans les flaques du parquet,
Et sur ta lèvre pâlie Je boirai jusqu'à la lie
    Ton dernier hoquet

V

FRÈRE, IL FAUT VIVRE

À MAURICE BOUCHOR

Oui, je pleurais hier et j'en voulais mourir.
Frère, étais-je assez bête ! Ah ! j'aime mieux être ivre !
Et tout de suite ! mieux vaut tenir que courir.
Verse-moi du vieux vin, beaucoup. Frère, il faut vivre !

Verse ! J'ai le gosier meurtri par les sanglots,
J'ai la luette sèche et j'ai la langue rêche.
Verse ! verse du vin ! Encore ! Et que ses flots
Au ruisseau de mon cou chantent leur chanson fraîche !

Et fais-nous apporter des viandes, du jambon
Rose comme une joue en fleur de miss anglaise,
Et du roastbeef saignant. Frère, le sang est bon.
Et déboutonnons nos gilets tout à notre aise !

Le saucisson non plus, frère, n'est pas mauvais.
C'est l'éperon à boire. Ohé ! qu'on nous l'amène !
Nous lutterons avec la ripaille, et je vais
Enterrer son armée au creux de ma bedaine.

....

Frère, veux-tu dormir sur ce bon matelas ?
Jusqu'à l'heure où le ciel est bleu comme du soufre
Qui flambe, nous ferons un long somme, étant las.
Nous ne rêverons point, car en rêvant on souffre.

Et demain, au réveil, nous serons frais et gais,
Nous aurons ce beau teint fleuri que l'on révère.
Nous chanterons ; et quand nous serons fatigués,
Nous recommencerons à vider notre verre.

Et nous irons ainsi demain, après-demain,
Toujours. Si quelqu'un dit que l'on se déshonore
À ce jeu, nous ferons, en nous tenant la main,
Au nez de sa vertu ronfler un rot sonore.

L'honneur, c'est de bien vivre et d'être très heureux.
Ventre libre, pieds chauds, cœur vide et tête froide.
Au diable les prêcheurs rigides ! Bren pour eux !
C'est l'affaire d'un mort de se montrer si roide.

Nous, nous sommes vivants, et très vivants, morbleu !
Nous trouvons le vin bon et les femmes bien faites,
Et nous ne voulons pas mettre un crêpe au ciel bleu.
Ni penser qu'il y a des lendemains aux fêtes.

Quels lendemains, d'ailleurs ? La mort n'en est pas un.
Ce n'est pas un coucher qui promette une aurore ;
C'est le retour d'un peu de rien au tout commun ;
Sous un aspect nouveau c'est de la vie encore.

Mais voilà ! Quelle vie ? Est-ce ma vie à moi ?
Non. Quand je serai mort j'aurai fini ma vie.
Tu ris ? Tu me crois soûl, n'est-ce pas ! Et pourquoi ?
Ma phrase à La Palice aurait pu faire envie,

Soit ! Mais ce La Palice était un incompris.
On a dit un grand mot en disant qu'un quart d'heure
Avant sa mort... Tu sais le reste ; il a son prix,
Et dit qu'il fait bon vivre avant que l'on ne meure.

Donc, frère, encore un coup, mangeons, buvons, baisons,
Vivons, pleins d'une faim de vivre inassouvie !
Et quand la mort clora nos mâchoires, faisons
Du hoquet de la mort un salut à la vie !

VI

SONNET BIGORNE

– ARGOT CLASSIQUE –

Ho ! les Merchors, Ponciers, Bouchons,
Dévalons donc dans cette piole
Où nous aquigerons riole,
Et sans débrider nos pouchons.

Gy, marpaux, gy, nous remouchons
Tes rouillardes, et la criole
Qui parfume ta cambriole.
Ho ! salivergnes et bouchons !

Et si tezig tient à sa boule,
Fonce ta largue, et qu'elle aboule
Sans limace nous cambrouser.

Nouzailles patrons notre proie
À ta marquise d'un baiser,
À toi d'un coup d'arpion au proyc.

VII

O TI AN TYXΩ

Dégager la doctrine philosophique contenue dans
ce mot de Platon : ὅ τι ἂν τυχῶ.
Sujet de dissertation latine.

Faut-il tant penser ? C'est sot,
Et ça fait mal à la tête.
De Platon je tiens un mot
Qu'avec Platon je répète :
Bast ! Zut ! ὅ τι ἂν τυχῶ !
À l'hasard de la fourchette !
Bast ! Zut ! ὅ τι ἂν τυχῶ !
J' vas fourrer mes doigts dans l' pot.

Autrefois chez Paul Niquet
Fumait un vaste baquet
    Sur la devanture.
Pour un ou deux sous, je crois,
On y plongeait les deux doigts,
    Deux, à l'aventure.
Les mets les plus différents
Étaient là, mêlés, errants,
    Sans couleur, sans forme,
Et l'on pochait, sans fouiller,
Aussi bien un vieux soulier
    Qu'une truffe énorme.

Faut-il hésiter ? C'est sot.
Risquons nos deux sous, Lisette.
De Platon je tiens un mot
Qu'avec Platon je répète :

177/241

Bast ! zut ! ὅ τι ἂν τύχω ! !
À l'hasard de la fourchette !
Bast ! zut ! ὅ τι ἂν τύχω ! !
J'vas fourrer mes doigts dans l'pot.

Que la vie est bien cela !
On pêche, ont tire et voilà
    Misère ou bombance.
Chacun n'a payé qu'un sou ;
L'un part à jeun, l'autre soûl.
    Ainsi va la chance.
Au plus affamé parfois
Rien ne reste entre les doigts
    Qu'une asperge à l'huile.
Un vieux, qui n'a qu'une dent,
Au bout d'un tendon pendant
    Tire un os fossile.

Faut-il en pleurer ? C'est sot.
Que j'aie os ou vinaigrette,
De Platon je tiens un mot
Qu'avec Platon je répète :
Bast ! zut ! ὅ τι ἂν τύχω ! !
À l'hasard de la fourchette !
Bast ! zut ! ὅ τι ἂν τύχω ! !
J'vas fourrer mes doigts dans le pot.

Comme un autre j'eus mon jour
Où je croyais à l'amour
    Sans un et sincère.
J'ai vu depuis ce que c'est.
Il dure le temps qu'on met
    À vider un verre.
Ta maîtresse, si tu veux,
Sur un signe de tes yeux
    À tes pieds se vautre.
Vile esclave, à deux genoux
Elle t'aime... Tournons-nous,
    Elle en baise un autre.

Faut-il en pleurer ? C'est sot.
La femme se vend. Achète !
De Platon je tiens un mot
Qu'avec Platon je répète :
Bast ! zut ! ὅ τι ἂν τύχω !
À l'hasard de la fourchette ?
Bast ! zut ! ὅ τι ἂν τύχω !
J'vas fourrer mes doigts dans l' pot.

J'ai fait, quand j'avais quinze ans,
Des rêves éblouissants
    Qui parlaient de gloire.
Dans ma tête j'avais mis
Que j'étais grand ; mes amis
    Me disaient d'y croire.
Aujourd'hui j'écris ces vers.
Ils vont droit ou de travers :
Lequel ? peu m'importe.
Ça m'amuse qu'ils soient lus ;
Mais à qui me promet plus
    Je ferme ma porte.

Faut-il en pleurer ? C'est sot.
Que je sois ou non poète,
De Platon je tiens un mot
Qu'avec Platon je répète :
Bast ! zut ! ὅ τι ἂν τύχω !
À l'hasard de la fourchette !
Bast ! zut ! ὅ τι ἂν τύχω !
J'vas fourrer mes doigts dans l' pot.

J'ai passé plusieurs hivers
À lire en jargons divers
    Plus d'un philosophe.
Ils sont de noir habillés,
Et leurs esprits sont taillés
Dans la même étoffe.

Des mots, des mots et des mots !
Nous sommes des animaux,
     Voilà mon système.
Qu'on le prenne par un bout
Ou par l'autre, le grand Tout
     Est toujours le même.

Faut-il tant penser ? C'est sot,
Et ça fait mal à la tête.
De Platon je tiens un mot
Qu'avec Platon je répète :
Bast ! zut ! ὅ τι ἂν τυχῶ ! !
À l'hasard de la fourchette !
Bast ! zut ! ὅ τι ἂν τυχῶ ! !
J' vas fourrer mes doigts dans l' pot.

VIII

MAUDISSONS BOURGET !

Malgré le chocolat trop raffiné du Carme,
J'ai fait un déjeuner très faible chez Bourget.
Il n'avait pas de vin ! Et, plein d'un sourd vacarme,
Comme mon estomac, noyé d'eau, s'insurgeait,

Je me suis rappelé, du profond de mon jeûne,
Un quatrain de Kheyam, le poète persan.
Ce vieux sage a chanté le vin fumeux et jeune.
Ses vers sonnaient en moi comme un clairon perçant.

Ils disent : – Vin joyeux, vin couleur d'amarante,
Si les grands monts buvaient ton sang trempé de miel
Ils auraient sous leur neige une tête odorante,
Et ces bons vieillards soûls bondiraient dans le ciel. –

Et j'ai pensé : les monts seraient bien plus sublimes
S'ils nous offraient soudain cet énorme tableau.
Et j'ai maudit Bourget, pauvre faiseur de rimes
Qui, me prenant pour un sommet, m'abreuvait d'eau.

IX

FLEURS DE BOISSON

À RAOUL PONCHON

Ouf ! j'ai soif comme si je mâchais de la laine...
Allons ! donne l'avoine à mon gosier fourbu.
Du vin ! nous faut du vin ! Je veux que mon haleine
Suffise pour soûler ceux qui n'auront pas bu.

Je veux qu'en me voyant le Panthéon recule,
Craignant d'être écrasé par mon choc, et je veux
Faire ce soir le jour après le crépuscule,
Grâce au soleil dont les rayons sont mes cheveux.

Tiens ! prenons l'omnibus, tout couvert de gens ternes
Qui par mon flamboiement vont être illuminés.
Le vieux cocher, prenant mes yeux pour ses lanternes,
Allumera sa pipe aux braises de mon nez.

De l'Odéon pensif aux tristes Batignolles
Nous irons. Telle va la comète qui luit !
Chez le mastroquet gras qui vend des attignoles
Nous boirons du vin doux qui fait pisser la nuit.

Nous pisserons, très beaux, très heureux et très dignes,
Nous appuyant du front au mur éclaboussé,
Et les Batignollais verront un jour des vignes
Fleurir le long du mur où nous aurons pissé.

X

PROLOGUE FANTAISISTE

Le 9 août 1873, dans la salle de la Tour-d'Auvergne, M. Jean Richepin offrit à la presse et au Paris littéraire une curieuse représentation composée de trois actes en vers : *Le Duel aux Lanternes,* comédie de Paul Arène ; *l'Étoile,* drame d'André Gill et Jean Richepin ; la *Ronde de Nuit,* comédie d'Ernest d'Hervilly. Les trois pièces furent jouées avec le plus grand succès par le poète lui-même et une troupe de ses amis. Voir les feuilletons dramatiques de l'époque.

(Note de l'éditeur.)

Mesdames et Messieurs, c'est comme un fait exprès :
Rien ne marche. Tantôt nous pensions être prêts.
On avait répété, chacun savait son rôle,
Celui-ci très tragique, et celui-là très drôle.
Au son du piano plaquant de doux accords
Nous étions à notre aise, au milieu des décors,
Comme un poisson dans l'eau, comme une fleur dans l'herbe
C'était charmant. C'était parfait. C'était superbe.

Tout à coup, au moment de lever le rideau,
La scène nous paraît un horrible radeau
Ballotté par les vents, battu par la tempête,
Et nous, ne savons plus ou donner de la tête.
Notre premier comique a le toupet tout droit
De frayeur. L'amoureux, transi, reste si froid
Qu'en les touchant à peine il frappe les carafes.
Le père noble fait des sourcils en paraphes
Et roule de gros yeux blancs et dépareillés.
Bref, nous hésitons tous, stupides, effrayés,

183/241

Ahuris, et craignant la colique ou la crampe
Devant la formidable aurore de la rampe.

Ah ! lorsqu'on se sent là pour la première fois,
Près d'affronter ces yeux braqués, et sous le poids
De ce silence affreux qu'il faut bien que l'on trouble,
On regarde ce gouffre en tremblant, on voit double,
On voudrait fuir, se taire, et ne plus se montrer.
On sent là comme un chat qui ne veut pas rentrer.
Que faire cependant ? Il faut lever la toile.
Oh ! comme on resterait volontiers sous ce voile !
Mais le public murmure et déjà fait : *Ah ! ah !*
Il faut se décider. Alors un brouhaha
S'élève : on crie, on court, on s'appelle, on se cherche,
On embrasse un portant, on enlace une perche,
On se serre la main en tombant dans des trous,
On pleure dans le sein des pompiers qui sont doux.
On passe son pourpoint en guise de culotte,
On laisse sa perruque au fond de sa calotte,
On se colle une barbe au front avec orgueil,
Et l'on se met du rouge avec le doigt dans l'œil.

Donc, Messieurs, sur vos fronts n'amassez pas de rides.
Vous qui vîntes ici, sous ces climats torrides,
Soyez bons jusqu'au bout. Que si, sur quelque point
Nous nous sommes trompés un peu, ne riez point.
Que vos bouches, enfin, n'affectent pas des formes
Circonflexes, devant nos sottises énormes.
Et, tenez, nous jouons dans un drame écossais
Et très féroce, avec des costumes français,
Et parmi les splendeurs d'un ex-palais tragique.
Nous donnons un grand bal, qui doit être magique,
Dans un petit jardin de guinguette, avec dix
Ou quinze lampions qui servirent jadis.
Nous avons une pièce en un décor de ville
Qui doit représenter l'espagnole Séville,
Et sur lequel, comme un dos de caméléon,
On voit s'enfler le dôme altier du Panthéon.

Bast ! tout cela n'est rien. Dites-vous que Shakespeare

Se jouait sans décors et n'en était pas pire.
Certes, nous n'avons pas l'outrecuidance, non,
De comparer nos noms obscurs à ce grand nom ;
Mais enfin, si nos vers disent ce qu'il faut dire,
Si nous faisons sonner les sanglots et le rire,
Si notre jeu traduit dans sa naïveté
Ou l'âpre passion ou la franche gaîté,
Si vous vous sentez pris aux mailles de la rime,
C'est tout ! Vous n'oserez vraiment nous faire un crime
Des mille petits rien que verront les railleurs.
C'est dans vos cœurs que sont nos décors les meilleurs.

Je vous ai fait, Messieurs, des aveux très honnêtes ;
Tenez-m'en compte. Allons, essuyez vos lorgnettes :
Allumez dans vos yeux un indulgent flambeau ;
Tâchez, ce qui se sera laid, de le voir en beau.
Songez que cette chose aura ceci pour elle
Qu'elle est hardie et jeune, et quelque peu nouvelle.
Donc, soyez bons !

                          Et vous, ô rois, ô potentats,
Critiques influents tout couverts d'attentats,
Ô tigres que la presse abrite dans ses jungles,
N'aiguisez pas vos crocs, n'allongez pas vos ongles,
Et, comme de bons chats faisant un gros dos rond,
Sans trop vous endormir pourtant, faites ronron.

XI

NOS REVANCHES

Le bourgeois digère, gavé,
Ses trois repas et son bien-être,
Et rit de voir sur le pavé
Les poètes traîner la guêtre.

Mais que vienne enfin notre jour,
Parmi le public idolâtre
Nous sourions à notre tour
Quand il fait la queue au théâtre.

Là, nous le menons par le nez,
Comme un enfant dont on s'amuse.
Dans ses deux gros yeux étonnés
Nous faisons pleurer notre Muse.

Môme avant le succès, d'ailleurs,
Nous avons contre cette engeance,
Sans conter les bons mots railleurs,
Plus d'une arme et d'une vengeance.

Nous avons le chant, la gaîté,
L'esprit qui guérit bien des choses,
Et le grand orgueil indompté
Qui nous fait des apothéoses.

Nous avons deux divins flambeaux
Dont la gloire les tarabuste :
C'est d'être jeunes, d'être beaux !
Nous avons l'air de notre buste.

Ils disent en se rengorgeant :
– « Vous n'êtes pas de ma famille.
« Sans-le-sou, voyez mon argent.
« Tope, vous' n'aurez pas ma fille. »

Mais tes filles sont mal en chair ;
Nous n'aimons pas les pommes aigres ;
Et tout l'or du monde, mon cher,
Ne donne pas de gorge aux maigres.

Près de ta fille, épouvantail
Dont le nez pointu nous éborgne,
Nous faisons sous son éventail
Rougir ta femme qui nous lorgne.

Garde tes filles sans appas,
Nous gardons notre épithalame.
Non ! non ! nous ne les aurons pas.
Mon vieux, mais nous avons ta femme.

XII

SONNET CONSOLANT

Malheur aux pauvres ! C'est l'argent qui rend heureux.
Les riches ont la force, et la gloire et la joie.
Sur leur nez orgueilleux c'est leur or qui rougeoie.
L'or mettrait du soleil même au front d'un lépreux.

Ils ont tout : les bons plats, les vieux vins généreux,
Les bijoux, les chevaux, le luxe qui flamboie,
Et les belles putains aux cuirasses de soie
Dont les seins provoquants ne sont nus que pour eux.

Bah ! Les pauvres, malgré la misère sans trêves,
Ont aussi leurs trésors : les chansons et les rêves.
Ce peu-là leur suffit pour rire quelquefois.

J'en sais qui sont heureux, et qui n'ont pour fortune.
Que ces louis d'un jour nommés les fleurs des bois
Et cet écu rogné qu'on appelle la lune.

NOS TRISTESSES

I

REMÈDE FÉROCE

Ma gaieté, tu as la colique
    D'amour.
Depuis le soir jusqu'au retour
    Du jour,
Tu geins comme un mélancolique
    Tambour.

Ma vieille, si tu veux m'en croire,
    Ce goût
Ne me plaît pas beaucoup, beaucoup,
    Et tout
Ce que je peux pour toi, c'est boire
    Un coup.

Nettoie avec la rouge lie
    Des brocs,
Loin des larmes et des sirops,
    Tes crocs,
Et lance à la mélancolie
    Des rots.

Et prends une purge, bégueule !
    Du miel
Ne t'irait pas ; prends du gros sel.
    Duquel ?
Je m'en moque un peu ! Mais dégueule

Ton fiel.

Puis, bois ! Et sans faire scandale,
    Sans bruit,
Éclaire avec le vin qui luit
    Ta nuit,
Et soûle, ivre-morte, ravale
    L'ennui.

Nous allons lâcher d'un coup d'aile
    Le sol.
Monté sur un flacon sans col,
    Ton vol
Va planer dans l'air qui ruisselle
    D'alcool.

Et dans une ivresse sans bornes,
    Sans but,
Sur des cheveux de femme en rut
    Pour luth,
Nous dirons aux tristesses mornes :
    Bren ! zut !

II

LE VIN TRISTE

J'ai du sable à l'amygdale.
Ohé ! ho ! buvons un coup,
Un, deux, trois, longtemps, beaucoup !
Il faut s'arroser la dalle
      Du cou.

J'ai le cœur en marmelade.
Les membres froids, l'esprit lourd.
Hé ! ho ! crions comme un sourd
Pour étourdir ce malade
      D'amour.

J'ai le nez blanc, l'œil qui rentre,
Le teint couleur de citron,
Le corps sec comme un mitron.
Je veux trogne rouge, et ventre
      Tout rond.

J'ai, pour guérir ma folie,
Pris un remède, dix, vingt ;
Et puisque tout fut en vain,
Je veux être une outre emplie
      De vin.

Que les verres soient mes armes.
Moi je serai leur fourreau.
Nous tuerons l'amour bourreau
Qui met dans mon vin mes larmes
      Pour eau.

Je ne bois pas, je me panse.
Au bruit du glouglou moqueur
Je fais taire ma rancœur.
Et j'enterre dans ma panse
	Mon cœur.

III

PÂLE ET BLONDE

Pâle et blonde, très pâle et très blonde, ô mon cœur,
    C'est ainsi que tu l'aimes,
Lorsque sur toi l'ennui comme un condor vainqueur
    Étend ses ailes blêmes,

Lorsque tu sens en toi monter le goût amer
    Des voluptés passées,
Lorsque tu voudrais bien boire toute la mer
    Pour noyer tes pensées,

Lorsqu'un désir te prend, frénétique et moqueur,
    De t'en aller du monde,
Pâle et blonde, très pâle et très blonde, ô mon cœur,
    Tu l'aimes pâle et blonde,

Pâle et blonde comme est la fille d'un vieillard
    Née au mois de décembre,
Aussi pâle qu'un clair de lune en un brouillard,
    Aussi blonde que l'ambre,

Pâle et blonde, et laissant autour d'elle neiger
    Plus blancs que de la laine,
Ses cheveux d'argent fin, clair, mousseux et léger,
    Que dissipe une haleine.

Pâle et blonde, très pâle et très blonde, elle est là,
    Qui sanglote à ta porte.
Laisse-la donc entrer chez toi, va, laisse-la,
    Laisse, qu'elle t'emporte !

C'est elle, la bonne *ale*. Allons, tends-lui ton cou,
    Ouvre ta bouche entière,
Et mets la bière en toi ! Tu mets du même coup
    Ton ennui dans la bière.

IV

MON VERRRE EST VIDÉ

Dans un verre de Bohême
Creux comme un ravin,
J'ai versé du vin que j'aime,
J'ai versé du vin.
Mon estomac peu sévère
S'en est inondé.
J'avais du vin plein mon verre.
Mon verre est vidé.

Le vin fumeux de la gloire
Tenta mon cerveau,
Et je voulus aussi boire
De ce vin nouveau.
Ce vieux tonneau qu'on révère,
Je l'ai débondé.
En songe, il remplit mon verre.
Mon verre est vidé.

L'amour est une piquette
Qui mord le palais.
Or, je m'en suis mis en quête,
Du bouge au palais.
Effeuillant la primevère
Dans ce vin fraudé,
J'ai bu l'amour à plein verre.
Mon verre est vidé.

Loin des chants et des vacarmes,
Dans un coin bien clos,
J'ai fait du vin de mes larmes

Et de mes sanglots.
Mis en croix sur un calvaire,
De fief transsudé
J'ai bu sans pâlir un verre.
Mon verre est vidé.

Après tant de boissons vaines,
Que boire à présent ?
Reste le sang de mes veines.
C'est du mauvais sang.
N'importe ! je persévère.
De mon cœur ridé
Le sang pleure dans mon verre.
Mon verre est vidé.

V

POLICHINELLE

De leur dôme parfumé
Les promenades couvertes,
Près de l'Odéon fermé
Montrent leurs feuilles ouvertes.

Je vais sous leur parasol
M'asseoir sur les chaises blanches
Aux premières de Guignol
Qui monte en plein vent ses planches.

C'est Colombine, Arlequin,
Pierrot et Polichinelle,
Cassandre, vieux mannequin,
La comédie éternelle !

Racleur de grinçants accords
Un violoniste maigre
Semble railler les décors
Que fait frémir sa note aigre.

Colombine en ses atours
Aime, selon qu'elle y pense,
Arlequin qui fait des tours,
Pierrot qui garnit sa panse.

Pour le mal rendant le bien,
Cassandre toujours pardonne.
Cassandre n'y gagne rien
Sinon les coups qu'on lui donne.

Polichinelle à la fin
Nasillant dans sa pratique
Vient annoncer d'un air fin
Qu'on va fermer la boutique.

Il trouve que c'en est trop
De Colombine fantasque,
De l'enfariné Pierrot
Et d'Arlequin sous son masque.

Il trouve que l'acte est long,
Et vite, vite, il le coupe,
Il le coupe pour que l'on
S'en aille manger la soupe.

Dans notre esprit habité
Par des illusions brèves,
Ainsi la réalité
Vient terminer tous nos rêves.

On faisait un doux roman
Sur l'antique ritournelle,
Quand arrive au beau moment
Le couic de Polichinelle.

Couic ! il faut te déranger,
Dit la panse inassouvie.
Couic ! rêver est un danger
Quand on doit gagner sa vie.

Couic ! travaille, va, viens, cours !
Le reste n'est que mensonge,
Et les instants sont trop courts
Pour les dépenser en songe.

Ô vie âpre qui nous tords
Comme un grain dans une roue,
Vie aux yeux creux, aux pieds tors,
Aux doigts crochus pleins de boue,

Polichinelle moqueur,
Ventre, amour, chose infernale
Qui viens nous percer le cœur
De ta pratique banale,

Pour ton vulgaire souci,
Pour tes stupides services,
Comme on te haïrait, si
Tu n'avais pas tant de vices !

VI

BOUT DE SPLEEN

Sur notre ridicule sphère,
Tous les instants sont dépensés
À des regrets ou des pensées.
Somme toute, mauvaise affaire !

Et voilà pourquoi nous allons
Comme l'on fait un mauvais rêve,
Pourquoi, la vie étant si brève,
Les jours semblent souvent trop longs.

VII

ÉPITAPHE POUR N'IMPORTE QUI

Ça jura t-il sur son couillon,
Quand de cet monde voult partir.

(FRANÇOIS VILLON.)

On ne sait pas pourquoi cet homme prit naissance.
Et pourquoi mourut-il ? On ne l'a pas connu.
Il vint nu dans ce monde, et, pour comble de chance,
    Partit comme il était venu.

La gaîté, le chagrin, l'espérance, la crainte,
Ensemble ou tour à tour ont fait battre son cœur.
Ses lèvres n'ignoraient le rire ni la plainte.
    Son œil fut sincère et moqueur.

Il mangeait, il buvait, il dormait ; puis, morose,
Recommençait encor dormir, boire et manger ;
Et chaque jour c'était toujours la môme chose,
    La même chose pour changer.

Il fit le bien, et vit que c'était des chimères.
Il fit le mal ; le mal le laissa sans remords.
Il avait des amis ; amitiés éphémères !
    Des ennemis ; mais ils sont morts.

Il aima. Son amour d'une autre fut suivie,
Et de plusieurs. Sur tout le dégoût vint s'asseoir.
Et cet homme a passé comme passe la vie :
    Entrez, sortez, et puis bonsoir !

VIII

MON PETIT TOUTOU

Pück, Buchon, Buchasson, Buchinier, dom Buchet,
Il me plaît d'évoquer ce soir dans un poème
Le temps où votre maître au sixième perchait,
Le temps où nous avons vécu notre bohême.

Nous avons passé là, mon petit Buchinier,
D'octobre à février cinq mois durs comme roche ;
Pour moi surtout, pour moi poète de grenier
Qui n'entendais sonner que du vent dans ma poche.

Vous, vous étiez heureux, toutou blanc au nez noir.
Vous avez toujours eu bon gîte et panse pleine.
Plus souvent qu'à mon tour je déjeunais d'espoir ;
Mais je vous achetais trois sous de madeleine.

Vous étiez tout petit, étant enfantelet,
Et, pour que vous n'eussiez pas trop froid dans les rues,
Je vous portais, mignon, au creux de mon gilet
Où vous fîtes parfois des choses incongrues.

Vous étiez tout frisé, tout soyeux et tout blanc,
Un peu café-au-lait derrière chaque oreille.
Vous aviez, vos cheveux aux brises s'envolant,
Un air ébouriffé de fille qui s'éveille.

Vous n'étiez pas gourmand, sinon d'un plat nouveau.
Ainsi je me souviens que vous fûtes malade
Pour avoir trop goûté de la tôle de veau.
Aussi, pourquoi manger de la viande en salade ?

Très brave, vous traitiez comme des épiciers
Les dogues les plus gros, les plus fauves cerbères.
Vous boitiez du derrière à gauche, et vous pissiez
Tout droit, la tête en bas, le long des réverbères.

Vous étiez curieux comme une femme, et quand,
Vous croyant endormi, je rimais quelques phrases,
Si je vous regardais, je vous trouvais braquant
Vos petits yeux malins pareils a doux topazes.

Vous aimiez voir, savoir. Vous n'étiez pas un chien,
Mais un petit quelqu'un pas comme tous les autres.
On comprenait que vous étiez Parisien,
Au courant de Paris, et presque l'un des nôtres.

Vous aviez ce qu'il faut pour vieillir avec nous.
Mais je rêvais pour vous plus douce destinée :
Mes parents vous berçant le soir sur leurs genoux,
Leur jardin, leur grand lit, leur large cheminée.

Ô province ? pays des gens trop bien nourris !
Je me disais : « Dom Buche y vivra comme un prince. »
Et je vous emportai là-bas, loin de Paris...
Et vous en êtes mort, d'avoir vu la province.

Car vous n'étiez pas fait pour ces tranquillités.
Il vous fallait Paris, et ses bruits, et ses fièvres.
Vous êtes mort du mal des enfants trop gâtés
Qui sous trop de baisers sentent pâlir leurs lèvres.

Vous dormez maintenant dans un coin du jardin,
Au pied d'un rosier vert qui vous couvre de roses.
Et je n'ai pas reçu vos adieux, quand soudain
Sur vos yeux grands ouverts la mort mit ses mains closes

Votre regard humain dans l'ombre me cherchait.
Me voici, mon petit ami, dans un poème.
Pück, Buchon, Buchasson, Buchinier, dom Buchet,
Compagnon avec qui j'ai vécu ma bohême,

Je me souviens de vous, et je n'oublierai pas
Votre esprit, votre cœur, votre mine blanchette.
C'est pourquoi j'ai sauvé tous vos noms du trépas,
Pück, Buchon, Buchasson, Buchinier, dom Buchette.

IX

SONNET IVRE

Pourtant, quand on est las de se crever les yeux,
De se creuser le front, de se fouiller le ventre,
Sans trouver de raison à rien, lorsque l'on rentre
Fourbu d'avoir plané dans le vide des deux,

Il faut bien oublier les désirs anxieux,
Les espoirs avortés, et dormir dans son antre
Comme une bête, ou boire à plus soif comme un chantre,
Sans penser. Soûlons-nous, buveurs silencieux !

Oh ! les doux opiums, l'abrutissante extase !
Bitter, grenat brûlé, vermouth, claire topaze.
Absinthe, lait troublé d'émeraude. Versez !

Versez, ne cherchons plus les effets ni les causes !
Les gueules du couchant dans nos cœurs terrassés
Vomissent de l'absinthe entre leurs lèvres roses.

X

CIMETIÈRE INTIME

J'ai déjà vu plus d'une année,
Belle fille aux fraîches couleurs,
Mourir vieille, jaune, fanée,
Et perdre son chapeau de fleurs.

Adieu, adieu, rose qui tombes !
Adieu, adieu, beau mois de mai !
Mon cœur est le pays des tombes
Où mon bonheur est enfermé.

Espoirs, illusions vermeilles,
Vœux de gloire, pensées d'amour,
Ainsi qu'un jeune essaim d'abeilles
S'envolèrent au point du jour.

Mais, comme ils montaient vers la nue,
Un tourbillon les emporta,
Et le vent à l'haleine aiguë
Brutalement les souffleta.

Tombez ! tombez ! et sur la terre
Je les ramassais, étouffant.
Je les mis dans mon cimetière
Couchés dans des cercueils d'enfant.

Et tous les soirs, lorsque vient l'heure
Où loin du monde je suis seul,
J'ouvre chaque bière, et je pleure
En déployant chaque linceul.

Quand j'ai fini, d'une main lente
Je clos mon cœur, morne cité,
Cimetière, cité dolente,
Où pas un n'est ressuscité.

J'ai déjà vu plus d'une année,
Belle fille aux fraîches couleurs,
Mourir vieille, jaune, fanée,
Et perdre son chapeau de fleurs.

Adieu, adieu, rose qui tombes !
Adieu, adieu, beau mois de mai !
Mon cœur est le pays des tombes
Où mon bonheur est enfermé.

XI

SONNET MORNE

Il pleut, et le vent vient du nord.
Tout coule. Le firmament crève.
Un bon temps pour noyer son rêve
Dans l'Océan noir de la mort !

Noyons-le. C'est un chien qui mord.
Houp ! lourde pierre et corde brève !
Et nous aurons enfin la trêve,
Le sommeil sans vœu ni remord.

Mais on est lâche ; on se décide
À retarder le suicide ;
On lit ; on bâille ; on fait des vers ;

On écoute, en buvant des litres,
La pluie avec ses ongles verts
Battre la charge sur les vitres.

NOS GLOIRES

I

À MAURICE BOUCHOR

Alors âgé de quinze ans

Mon cœur porte plus d'une entaille
Très peu vieux, j'ai beaucoup vécu.
La vie, âpre et rouge bataille,
M'étreint, mais ne m'a pas vaincu.

Or, toi, tu connais moins les hommes,
Étant le plus jeune parmi
Tous les poètes que nous sommes,
Maurice Bouchor, mon ami.

Tu sais, frère, combien je t'aime.
C'est pourquoi je veux t'épargner,
En t'avertissant, le baptême
De l'expérience à gagner.

Dans l'humaine et noire atmosphère,
Je te dirai comment, par où,
Tu dois entrer, afin de faire
Jusqu'à l'horizon bleu ton trou.

Le monde est composé de lâches
Et de faibles. Toi qui te sens
Hardi, fait pour les grandes tâches,

Le cerveau plein, les reins puissants,

Ne leur laisse pas voir ton torse
Avant d'être bien aguerri.
Leur masse écraserait ta force,
Leur clameur couvrirait ton cri.

Entre ainsi qu'un grain dans un crible,
Perdu, petit, ratatiné.
Que le lion fauve et terrible
Ait l'air d'un ruminant mort-né !

Comme leur race n'est pas tendre,
Ils riront autour de toi. Bien !
Il le faut. Pour se faire entendre
Être grotesque est un moyen.

Vois ! Ils s'assemblent. Sois fantasque,
Barbouillé, grimaçant, moqueur.
Sur ta figure colle un masque ;
Mets un faux nez ; montre un faux cœur.

N'embouche pas une trompette
De cuivre à l'éclatant reflet.
Ce qu'on entend dans la tempête
Par-dessus tout, c'est un sifflet.

Fi du glaive ! prends une batte,
Bats quelqu'un, et si le battu
S'indigne et t'appelle acrobate,
Réponds zut ou turlututu !

Chante des chansons ridicules ;
Prêche l'absurde à plein gosier ;
Dis, en voyant des renoncules,
Qu'elles poussent sur un rosier ;

Dis que la nue est la fumée
De ta pipe, que le jasmin
Est une fleur moins parfumée

Qu'un gueux se torchant dans sa main ;

Dit qu'il est des têtes sans nuque,
Des vers sans rime, et qu'un enfant
Peut-être fait par un eunuque,
Car nul décret ne le défend ;

Dis que le poète est une huître,
La perle étant le philistin ;
Dis que ton père était bélître,
Que ta grand'mère était catin ;

Braille, blague, monte des scies,
Sois blanc, noir, jaune, rouge, bleu ;
Fais-leur prendre enfin tes vessies
Pour des lanternes, sacrebleu !

Alors, quand le grand rire bête
Aura bien secoué leurs flancs,
Gonflé leur col, rougi leur tête,
Et fait rouler leurs gros yeux blancs,

Quand leurs bouches seront des antres,
Et quand, le derrière aux talons,
Ils feront craquer sur leurs ventres
Épanouis leurs pantalons,

Alors, dressant ta haute taille,
Combats sans merci, sans repos,
Frappe d'estoc, frappe de taille,
Et faits des haillons de leurs peaux ;

Et s'ils te demandent des grâces,
Frappe toujours, n'en donne point ;
Et crève leurs bedaines grasses,
À coups de pied, à coups de poing ;

Et grandis, grandis comme un songe
À leurs regards épouvantés,
Et que leur œil dans ton œil plonge

Comme dans un puits de clartés ;

Que tes cheveux soient une queue
De comète, et royalement
Ouvre au vent ta bannière bleue
Découpée en plein firmament ;

Monte plus haut, comme un grand aigle,
Plus haut toujours, comme un condor ;
Monte sans frein, sans loi, sans règle,
Et perds-toi dans le couchant d'or ;

Et vogue enfin à pleines voiles,
Loin du monde, loin de céans ;
Que tes larmes soient des étoiles,
Et tes sueurs des océans ;

Et là-haut dans le libre espace,
Sur ton corps glorieux et beau
Si tu vois qu'il reste une trace
De la bataille ou du tréteau,

Sur ton front si tu vois encore
De la boue et du sang vermeil,
Débarbouille-toi dans l'aurore
Et sèche-toi dans le soleil !

II

BALLADE VILLON

Roi des poètes en guenilles,
Ô gueux, maître François Villon,
Buveur de vin, coureur de filles,
Sonneur de joyeux carillon,
Grand mélancolique en paillon,
Tes vers sur ta tête honnie
Font flamber le sacré rayon,
Escroc, truand, marlou, génie !

Tu fus le père des bons drilles
Dont tu remplis le corbillon ;
Et pour de telles peccadilles
Tu faillis, quittant le sillon,
Au gibet comme échantillon
Pendre, figure racornie
Dont la pluie eût fait un bouillon,
Escroc, truand, marlou, génie !

Laisse les chercheurs de vétilles
Te piquer de leur aiguillon.
Sur leurs sermons tu dégobilles.
Amant de Margot la souillon,
Tu sus, môme à son cotillon,
Allumer l'étoile bénie
Qui fait resplendir ton haillon,
Escroc, truand, marlou, génie !

ENVOI

Prince, arbore ton pavillon.

213/241

Et tant pis pour qui te renie,
Roi des poètes sans billon,
Escroc, truand, marlou, génie !

III

BALLADE PONCHON

Vous pouvez être un grand savant,
Aussi grand qu'on se l'imagine,
Avoir noirci fort et souvent
Votre papier de plombagine,
Mettre votre esprit en gésine
Pour vous bourrer le cabochon,
Vous ne serez qu'une aubergine
Si vous n'avez pas vu Ponchon.

Allez où vous pousse le vent,
En France, en Amérique, en Chine,
Allez du ponant au levant,
Du nord au sud, ployant l'échine ;
Voyez le salon, la cuisine ;
Vous ne serez qu'un cornichon,
Cornichon comme à l'origine,
Si vous n'avez pas vu Ponchon.

De Ponchon je suis le fervent.
Ponchon est grand comme une usine.
Ponchon est le seul vrai vivant.
Et j'attraperais une angine,
Criant comme une merlusine,
Pour que, du palais au bouchon,
Chacun put dire à sa voisine :
Si vous n'avez pas vu Ponchon ! ! !

ENVOI

Prince, homme ou femme, ou androgyne

215/241

Vous ne valez pas un torchon
Et n'aurez jamais bonne mine
Si vous n'avez pas vu Ponchon.

IV

À ADRIEN JUVIGNY

(IL PREPARAIT ALORS SA LICENCE ES LETTRES)

Ô candidat, trappeur des verbes grecs, fumiste,
Quel problème êtes-vous ? Quel profond alchimiste
En vous décomposant pourra répondre au point
D'interrogation qui dans ma tête poind ?
Quel abîme êtes-vous de noire indifférence ?
Je sais, pour mon malheur, que l'optatif est rance,
Que le discours latin pue et sent le moisi,
Et que vous en mangez, Or, je suis cramoisi
Quand je vois que depuis trois mois jamais vous n'eûtes
Le courage de leur ravir quelques minutes
Pour venir de mon air me prendre la moitié
Et respirer la fleur de ma jeune amitié.
J'ai besoin de vous voir, mon cher, car je vous aime.
Je voudrais vous montrer un peu ce que je sème,
Quel arbre ou quel légume est né dans mon jardin.
Mais vous lisez Pierrot-Deseilligny, Chardin,
Les compilations d'expressions triées
Dans l'ignoble latin moderne expatriées ;
Vous vivez d'une vie absurde, consumant
Vos jours à des discours où quelque consul ment,
À coups de Quicherat battant la poésie.
Ah ! quelle servitude ! Et que la Boëtie
A mal fait de ne point la mettre en son traité !
Voyons, mon cher ami, serez-vous arrêté
Sempiternellement dans cette obscure ornière ?
La semaine qui vient est-elle la dernière ?
Quand aurez-vous fini ? Quand peut-on vous avoir ?

Quand donc laisserez-vous cette crasse au lavoir ?
Quand nous reviendrez-vous nettoyé de l'antique.
Revêtu d'un manteau de pourpre romantique,
Portant l'étoile au front ainsi qu'Ithuriel,
Chanteur, rêveur et fou, c'est-à-dire réel ?
Oh ! venez, ce jour-là ? Près de la cheminée
La causerie est longue et jamais terminée.
Nous causerons, devant quelque verre avalé,
De ceci, de cela, de tout, de rien. *Vale !*

V

À ADRIEN JUVIGNY

Quatre ans apres

(Mort le 3.septembre 1873.)

Quis potis est dignum pollenti pectore carmen
Condere pro rerum majestate, hisque repertis ?
Quisve valet tantum verbis ut fingere laudes
Pro meritis ejus possit, qui talia nobis
Peclore parta suo quaesitaque praemia liquit ?

(LUCRECE)

Ô pauvre Juvigny, pauvre être solitaire,
Le plus grand de tous ceux que j'ai connus sur terre !
Je retrouve aujourd'hui ces vers gais et railleurs
Écrits voilà quatre ans. J'en ai fait de meilleurs.
Mais ceux-ci me sont chers plus qu'un parfait poème,
Parce que tu m'as dit autrefois : «Je les aime.»
Parce qu'ils t'ont fait rire, éternel malheureux,
Parce que ton grand front s'est incliné sur eux.

Oh ! je ne savais pas alors à quel poète
J'écrivais. Les trésors enfouis dans ta tête,
Ta science profonde à faire peur aux vieux,
Les astres inconnus qui roulaient dans tes yeux,
L'éclair de ta pensée illuminant un monde,
Étaient un océan ignoré de ma sonde.
Je te prenais pour un de nous, tout simplement.

219/241

Mais depuis, ton soleil emplit mon firmament.
Et je vis sur ton front flamboyer le génie.

Hélas ! tu nous quittas, ton œuvre non finie.
Accablé sous le poids trop lourd de ton cerveau,
Tu mourus, emportant tout un secret nouveau.
Qui sait les horizons aux lueurs immortelles
Où t'aurait enlevé l'essor de tes deux ailes ?
Car tu connaissais tout, ayant tout embrassé,
Et pour toi l'avenir s'éclairait du passé.
Tu t'étais abreuvé chez les auteurs antiques,
Sages et fous, païens et chrétiens, et mystiques,
Et chez ceux de la France et ceux de l'étranger,
Et tout cela chez toi venait se mélanger,
Ainsi que des torrents tombant dans quelque Averne,
Dans le lac insondable où bout l'esprit moderne.
Ô la *modernité !* (pour prendre un de tes mots)
Comme tu la savais, avec ses biens, ses maux !
À pleins poumons saignants comme tu l'as humée !
Tu l'aimais, ton Paris, charogne parfumée,
Pleine tout à la fois d'essences et de vers ;
Pourriture aux odeurs subtiles, aux tons verts,
Où poussent les poisons mêlés avec les roses,

Où rôde le troupeau ténébreux des névroses, ;
Musique où l'on entend sangloter des grelots
Et tintinnabuler le hoquet des sanglots ;
Gai carnaval hanté de visions farouches,
Alcôve où les baisers qui se collent aux bouches,
Voraces, font des trous comme le vitriol ;
Absinthe à l'opium, délicieux alcool,
Dont tu bus en gourmand la plus atroce lie,
Et dont tu te grisas jusques à la folie.

De ce lac infernal, de ce gouffre rongeur,
Tu sortis haletant, pâle, ainsi qu'un plongeur.
Mais tes deux mains étaient toutes pleines de perles.
Ô flots, écartez-vous ! Va-t'en, mer qui déferles !
Laissez donc aborder chez nous ce conquérant !
Mais les flots sont jaloux et la mer te reprend ;

Et dans la mort sans fond, avant d'être sorties,
Tes perles avec toi retombent englouties.

Nous avons entrevu ces trésors. Tu fus grand !
À nous entendre ainsi t'admirer en pleurant,
Les gens qui ne t'ont pas connu peuvent sourire.
Tu fus grand ! Nous serons deux ou trois pour le dire.
Non, tu n'as rien laissé pour attester ton nom.
Mais si tu ne l'as pas frappé, ce tympanon
Qu'on appelle la gloire et qui sonne si vide,
C'est que tu fus trop grand pour t'en sentir avide.
Sans parents, sans amis presque (car, toujours seul
Tu t'enfermais en toi comme dans un linceul),
Ton cœur, fleur merveilleuse à la tige élancée.
Sécha dans le désert brûlant de la pensée ;
Et, sans essayer rien, trop sûr de ton pouvoir,
Dégoûté des désirs avant de les avoir,
Tu mourus. On eût dit un dieu lassé des choses,
Portant dans son esprit les effets et les causes,
Les ayant vus en songe assez pour en jouir,
N'ayant qu'à dire un mot pour faire épanouir
Tous les germes obscurs de la matière immense,
N'ayant qu'à le vouloir pour que le temps commence,
Et qui meurt, dédaigneux d'agir, et satisfait
D'avoir rêvé le monde entier sans l'avoir fait.

VI

À FREDERICK LEMAÎTRE

Le Samedi 29 janvier 1876, on enterrait au cimetière Montmartre Frédéric Lemaître. Après plusieurs discours prononcés sur la tombe, le poème suivant fut dit par M. Monnet-Sully, avec une émotion profonde. En terminant cet adieu en grand artiste, le jeune tragédien eut un geste d'une simplicité sublime et d'un effet poignant. Il déchira les feuillets et les laissa choir comme des fleurs dans la fosse ouverte.

(Note de l'éditeur.)

Salut, maître ! Salut, géant ! Salut, génie !
Tu ne me connais pas. Mais nous te connaissons.
Nous venons saluer ta gloire non finie,
Toi qui ne mourras pas, nous autres qui naissons.

Nous venons saluer l'art même en ta personne,
Nous venons couronner l'artiste surhumain,
Et dire, dans des vers où ton grand nom résonne,
Nos souvenirs d'hier aux vivants de demain.

On saura quelle était l'ampleur de ton domaine,
Et que les passions des gueux comme des rois,
Tous les cris, tous les vœux de la pauvre âme humaine,
Ont chanté tour à tour et pleuré par ta voix.

Triste ou gai, formidable ou bon, tendre ou farouche,
Que de fois tu nous fis plier les deux genoux,
Et voir, comme en rêvant, suspendus à ta bouche,
Les mondes inconnus que tu créais pour nous !

Là-bas, quelle ombre langoureuse
S'approche de nous à pas lents ?
Ah ! voici venir l'amoureuse.
Tu mets ta main dans ses doigts blancs,
Tu mêles ton âme à son âme ;
Elle rit, et pleure, et se pâme,
Et se sent brûler à la flamme
Que font les soleils de tes yeux ;
Et l'aigle avec la tourterelle
Chante la chanson éternelle,
Et nous emporte d'un coup d'aile
Ivres d'amour au fond des cieux.

Puis, tout à coup, rugit le drame,
Qui, lion fauve, par les bois
Traîne la passion qui brame
Ainsi qu'une biche aux abois.
Alors, entrant dans sa tanière,
Les bras nus, comme un belluaire,
Tu prends le monstre à la crinière,
Tu te roules sur lui, vainqueur ;
Et serrant la bote domptée
Comme Hercule faisait d'Antée,
Devant la foule épouvantée
Tu brises ses reins sur ton cœur.

Mais il faut que tu te reposes
Et des soupirs et des sanglots.
Vas-tu donc effeuiller des roses
Ou bien secouer des grelots ?
Non. Ton rire, énorme et fantasque,
Se tord aux rides de ton masque.
Et l'on dirait une bourrasque
Qui lutte avec des flots grondants.
Fi du sourire fin et mièvre !
C'est l'ironie et c'est la fièvre
Qui met dans le coin de ta lèvre
Le pli des sarcasmes stridents.

*

Et comment pourrais-tu ne pas être ironique ?
Ainsi qu'un carrefour, ton esprit communique
Aux ruelles sans nombre, aux passages obscurs,
D'où l'on voit déboucher, grouillant entre les murs,
Ceux-ci pieds nus, ceux-là faisant sonner leurs bottes,
Brandissant des poignards, agitant des marottes,
Criant, riant, priant, et se tordant les mains,
Le troupeau des vertus et des vices humains.

Vous représentez-vous tout ce que fut cet homme,
Et ce qu'il a vécu d'existences, en somme ?
Être Napoléon, Othello, Buridan,
Kean, Méphistophélès, don César de Bazan,
Et passer, oubliant ce qu'on était naguère,
De Paillasse à Vautrin, de Ruy-Blas à Macaire !
Rendre tout, sentir tout ! Avoir autant de voix
Qu'il est d'astres au ciel et de feuilles aux bois !
S'incarner tous les jours, prendre cent effigies,
Comme les anciens dieux dans les mythologies !
Se dire que tout l'homme habite ce front-là,
Et n'avoir qu'un seul cœur pour porter tout cela !

Ah ! le monde qui vient au théâtre et s'amuse,
Ne sait pas ce que coûte un baiser de la muse,
Quelle amertume il laisse, et quels déchirements
Dans les grands cœurs blessés qu'elle a pris pour amants.
Non, vous ne savez pas qu'à son front de monarque,
Sous la couronne d'or l'épine a fait sa marque,
Et que son grand manteau de pourpre éblouissant
Est rouge d'avoir bu le plus pur de son sang.
Non, vous ne savez pas qu'il faut souffrir sans trêve
Pour donner une forme, une vie, à son rêve,
Que la fleur de l'idée a pour sève les pleurs,
Que les enfantements sont toujours des douleurs.

Et maintenant, qui donc te jettera la pierre,
Disant que tu devais courber ta tête altière,
Et vivre comme nous, pris sous un joug étroit ?
Ô génie ! après tout, n'avais-tu pas le droit,

Pour apaiser ta faim de vivre inassouvie,
Toi qui donnais ton cœur, de dépenser ta vie ?
A-t-on vu les lions ramper sur les genoux ?
Et les dieux sont-ils faits pour vivre comme nous ?

Va donc, dors ton sommeil dans un linceul de gloire,
Puisque te voilà mort, bien qu'on ne puisse y croire.
Toi qui roulais ainsi qu'un fleuve aux larges flots,
Avec un bruit d'éclats de rire et de sanglots,
Tu te perds dans la mort, dans cette mer immense.
Pour la première fois en toi la paix commence.
Mais avec le repos ne viendra pas l'oubli.
Notre regard de ta lumière est tout rempli,
Et l'on en gardera l'éternelle mémoire.
C'est en vain que la nuit jette son ombre noire
Sur les derniers rayons d'un beau soleil couchant.
Aux franges d'un nuage il s'arrête, accrochant
Parmi les lointains bleus de l'horizon qui bouge,
De grands lambeaux de pourpre et des lames d'or rouge.
La nuit a beau gonfler sa robe obscure, il luit.
Quand l'ombre l'a voilé, nos yeux tout pleins de lui,
Sous le ciel ténébreux l'imaginent encore ;
Et demain, quand naîtra la pointe de l'aurore,
Dans l'azur du matin qui va se déployer
C'est son dernier reflet qu'on croit voir flamboyer.

VII

SONNET ORGUEILLEUX

De son propre malheur l'homme est toujours complice.
La vie est un combat, et parmi ces essaims
De soldats, de bandits, de traîtres, d'assassins,
Tant pis pour qui va nu ! Que le sort s'accomplisse !

Il faut se cuirasser, et que toute arme glisse
Sur le fer qu'on se plaque à même les deux seins.
Chacun doit se forger sa cuirasse, et les saints,
Comme ils n'ont pas d'acier, se bardent d'un cilice.

Moi, pour mieux tenir tête à tous coupe-jarrets,
J'endosse le cilice et la cuirasse après,
Et je mets au défi, mort-Dieu ! qu'on m'assassine.

Ma cuirasse est de pur orgueil, et sans un trou.
Les crins de mon cilice ont pris en moi racine.
Vous qui voulez percer mon cœur, cherchez par où !

VIII

NOCTAMBULES

Par les quais, les places, les rues,
Après minuit, avant le jour,
Lorsque les foules disparues
Dorment leur somme épais et lourd,

Quand l'ombre sur les ridicules
Jette son manteau ténébreux,
Ils vaguent, les bons noctambules,
Et sous le ciel causent entre eux.

Ils ont pour cravate une loque ;
Leurs habits sont vieux et souillés ;
Et leur pantalon s'effiloque
Sur le rire de leurs souliers.

Mais ils se moquent de la pluie
Qui rafraîchit leur crâne en feu
Et de la bise qui s'essuie
Sur leur nez qu'elle peint en bleu ;

Et d'un pas digne et philosophe
Ils se promènent bravement,
Mouchoirs humains de mince étoffe
Trempés des pleurs du firmament.

Leurs poches vides sur leurs cuisses
Ont beau prendre l'air par les trous,
Ils vont, fumant comme des Suisses,
Gesticulant comme des fous.

Ce sont des rêveurs, des poètes,
Des peintres, des musiciens,
Des gueux, un tas de jeunes têtes
Sous des chapeaux très anciens.

Au fond de vagues brasseries
Ils ont bu tout le soir à l'œil.
Aussi leurs âmes sont fleuries
De vert espoir, de rouge orgueil.

« Nous savons bien ce que nous sommes,
Notre avenir n'est pas suspect ! »
Et ces pauvres futurs grands hommes
Se parlent d'eux avec respect.

L'un refondra la poésie,
Et du moule de son cerveau
Dans le ciel de sa fantaisie
Fera jaillir l'astre nouveau ;

L'autre pétrira la lumière
Sur sa toile ; l'autre, levant
Son rude marteau sur la pierre,
Y tordra son rêve vivant ;

Celui-ci doit trouver la gamme
Des airs qu'on chantera demain ;
Celui-là cherche l'amalgame
D'où naîtra le bonheur humain ;

Tous avec une voix certaine
Escomptent l'avenir douteux ;
La postérité si lointaine
A l'air de marcher devant eux ;

Et tous ces inventeurs de pôles,
Tous ces bâtisseurs de Babel,
Pensent porter sur leurs épaules
Ainsi qu'Atlas le poids d'un ciel.

Hélas ! les rêveurs noctambules
À qui l'on jetterait deux sous !
En les voyant enfler leurs bulles
On les prend pour des hommes soûls.

Soûls, en effet, les pauvres diables,
Et plus soûls que vous ne pensez !
Car leurs gosiers insatiables
Ont bu des alcools insensés.

Ils ont bu le désir qui trouble,
La foi pour qui tout est quitté,
L'orgueil âpre qui fait voir double,
L'idéal et la liberté.

Ils ont bu, bu à pleines lèvres,
Bu à pleins yeux, bu à pleins cœurs,
Cet alcool qui guérit leurs fièvres :
L'assurance d'être vainqueurs.

Ces bavards, qui semblent des drôles,
Mâcheurs de mots, sculpteurs de bruit,
Ces cabotins jouant leurs rôles
Sur les quais déserts dans la nuit,

Ces loqueteux qui par la fange
Traînent leurs pieds las et raidis,
Et près des tonneaux de vidange
Parlent tout haut du Paradis,

Ces gueux qui d'espoir vain se grisent,
Ces fantoches, ces chiens errants,
Seront peut-être ce qu'ils disent,
Et c'est pour cela qu'ils sont grands.

Qui sait ? ces formes peu vêtues
Qui grelottent au vent d'hiver,
Seront peut-être des statues
Immobiles sous le ciel clair.

Et sur les quais, et dans les rues,
Après minuit, avant le jour,
Lorsque les foules disparues
Dorment leur somme épais et lourd,

Leur marbre blanc dans la nuit sombre
Dira leur gloire et votre erreur,
Quand ils se dresseront dans l'ombre
Avec un geste d'empereur.

ÉPILOGUE

LA FIN DES GUEUX

À ANDRÉ GILL

Cette nuit-là, la nuit semblait encor plus noire.

Le ciel avait voilé les astres et leur gloire
Dans des nuages bas, lugubres et crevante
Parfois, lorsque sautait un brusque coup de vent
Sifflant d'une voix rauque au bois mort d'un vieil arbre,
Le plafond ténébreux se fendait comme un marbre,
Et dans l'obscurité qui s'ouvrait tout à coup
La lune apparaissait ainsi qu'un chef sans cou.
Mais cette clarté pâle aussitôt disparue
Épaississait la nuit par son départ accrue.

Il faisait un froid mol, opaque, humide et gris.

Par moment, mes souliers dans la boue étant pris,
Je m'arrêtais, tendant vers l'ombre mes mains gourdes,
Les pieds crispés, les reins rompus, les jambes lourdes,
Ayant soif de trouver sur ma route un vivant.
Car j'étais seul, perdu ; car, derrière et devant,
Partout, je me heurtais à des murs de ténèbres ;
Et mes yeux, embrumés de visions funèbres,
Contemplaient fixement dans le brouillard trompeur
Le troupeau monstrueux des choses qui font peur.

Où suis-je ? Vais-je donc marcher la nuit entière ?
Où suis-je ?... Allons toujours... Horreur ! un cimetière !

Est-ce un rêve ? Mes yeux voient-ils ce qu'ils croient voir ?
Quelle est cette lueur qui déchire le noir ?
Non ! ce n'est pas un feu follet. C'est un feu rouge.
Palpitant, animé, comme un haillon qui bouge,
Tantôt droit, tantôt courbe, il se tord dans le vent.

La terreur de la nuit me poussait en avant.
C'était trop noir derrière. Approchons de la haie !

Ainsi sur un cadavre un trou saignant de plaie,
Sur une tombe en pierre ainsi ce feu luisait.
Une grande ombre était devant, qui l'attisait.
Elle se retourna, m'ayant senti, surprise.
C'était un long vieillard, front chauve, barbe grise,
Le corps maigre dans un manteau dépenaillé,
La tournure rigide ainsi qu'un empaillé.
Point terrible, malgré sa face de carême
Car le nez souriait dans la figure blême,
Et mettait sur ce blanc un beau ton violet.
On eût dit un mouron oublié dans du lait.
Mais l'affreux cauchemar est quelquefois grotesque.
Donc j'avais beau le voir comique, en rire presque,
Je n'étais pas encor d'aplomb. D'ailleurs le vieux
Faisait une besogne à vous troubler les yeux.
Il avait ramassé, parmi les tombes vertes,
Les pommes de sapin dont elles sont couvertes ;
Dans les petits enclos ravagés et fouillés,
Il avait prix les bois des croix les moins mouillés ;
Puis, pour faire son feu se construisant un âtre
Avec des os pour pierre et du sable pour plâtre,
Il avait en chenets appuyé contre un mur
Deux tibias posés en travers d'un fémur ;
Et, comme s'il était l'esprit du cimetière,
Il se chauffait, assis sur le dos d'une bière.

– Eh ! là-bas, cria-t-il, en voyant mon effroi,
Que fais-tu, camarade ? Il fait noir ; il fait froid ;
Approche donc ! Voici la lumière et la flamme.
Je ne suis pas un spectre, un revenant, une âme.
Si tu veux regarder, tu sera convaincu

Que je suis un vivant qui se chauffe le cul. –

Quand on est seul on tremble ; à deux, toute peur tombe.
Donc, franchissant la haie, enjambant une tombe,
Je fus bientôt assis, les pieds près des tisons.

– Çà, me dit-il alors en souriant, causons !
De quel métier es-tu ? – Du métier de poète. –

Le vieux me contempla, triste. Puis dans sa tête
Il rumina longtemps tout bas je ne sais quoi,
Avec un air navré qui me rendait tout coi,
Il semblait accablé de souvenirs moroses,
Et marmottait les mots de printemps et de roses.
Soudain je vis rouler des larmes dans son œil.
Son maigre poing cogna la planche du cercueil.
Et le vieillard parla. Dans les jets de fumée
Qu'il tirait à flocons de sa pipe allumée,
Sa voix rauque et mordante en sons aigres siffla.
Tandis que j'écoutais, voici comme il parla :

Il fut un temps, mon camarade,
Un temps qui ne reviendra point,
Où je vivais en rigolade,
La main au pot, le verre au poing,

Où sous mes joyeuses guenilles
Battait un cœur plein de printemps,
Où j'ai biscoté bien des filles
Que je payais de mes vingt ans,

Un temps où j'étais passé maître
Comme ferlampier, franc luron,
À qui le monde semblait être
Une fête où l'on danse en rond.

Las ! las ! jeunesse disparue,
Tu t'en vas, songe décevant,
Ainsi que la tête bourrue
D'un chardon s'échevèle au vent.

Las ! las ! mes pauvres fleurs fanées !
Comme un chat maigre le temps court,
Et ce qui dura des années
Comme un jour d'hiver paraît court.

Et pourtant que de bonnes choses
Ont tenu dans ce jour d'hiver !
o gais printemps, mois pleins de roses,
Ciel bleu, terre en fête, bois vert !

Que j'en ai goûté de délices !
Mais tout a passé sur mon cœur
Ainsi que sur des pierres lisses
File une source au flot moqueur.

J'ai vu de bons vins dans ma coupe
Et dans mon plat de bons morceaux,
Et j'ai trempé plus d'une soupe
Avec la charité des sots.

Que m'en reste-t-il, à cette heure ?
En suis-je plus gras d'un seul grain ?
Pas même un parfum ne demeure
Des branches de mon romarin.

Au château comme à la guinguette
On laissait asseoir mes haillons,
Et dans les plis de ma braguette
J'ai pris de jolis papillons.

J'ai fait sur ma route inconnus
Bien des enfants, fils de l'exil ;
Déjà ma vieillesse chenue
A reverdi dans leur avril.

Mais où sont-ils ? Hélas ! que sais-je ?
Faits hier, oubliés demain !
Retrouveras-tu sous la neige
Ce que tu semais en chemin ?

Et maintenant, moi, le vieux mâle,
Qui dois être au moins trisaïeul
Quand me viendra l'heure où l'on râle,
Comme un chien je crèverai seul.

Fils, la jeunesse n'est pas sage.
On rit, on s'amuse, et l'on croit
Que la vie, oiseau de passage,
Va revenir après le froid.

Nos jours ne sont pas hirondelles.
Partis, ils reviendront au temps
Où les crapauds auront des ailes,
Où les poules auront des dents.

On suit son cœur, on suit son ventre,
On va !... Puis, en tournant les yeux,
On voit que c'est là-bas, au diantre,
Qu'est la jeunesse, ... et l'on est vieux.

Et quand on est vieux, camarade,
C'est fait ! Alors on se sent las.
Le teint verdit comme salade.
Le corps sèche comme échalas.

On a le nez long, et l'œil terne,
De l'étoupe jaune au menton,
Et plus d'huile dans la lanterne.
On crache blanc comme coton.

Et l'échine qui se détraque !
Et les jambes ! les reins ! le cou !
Pour jeter à bas la baraque.
Il ne faut plus un bien grand coup.

C'est alors qu'une ménagère
Vous serait bonne, et de l'argent ;
Ça vous rendrait la mort légère.
Mais va-t'en voir s'ils viennent, Jean !

C'est fait, c'est bien fini, te dis-je.
Toi, le beau vaillant compagnon
Dont la gaîté fut un prodige,
Te voilà vieux, laid et grognon.

Et les fillettes printanières
Ont peur de tes longs doigts poilus ;
Les enfants te jettent des pierres ;
Personne ne te connaît plus.

Qu'à mendier tu te hasardes,
Tremblotant comme un homme soûl,
Combien auras-tu de nasardes
Pour gagner un malheureux sou !

Chanteras-tu ? Mais ta voix veule
Rend plus de hoquets que de sons ;
Et, n'ayant plus de dents en gueule,
Tu bredouilleras tes chansons.

N'importe ! fais la bouche en fraise !
Grimace avec ton front trop grand !
Comme un coq dansant sur la braise,
Tu dois faire rire en souffrant.

Et si tu n'as rien dans le ventre,
Chante plus fort, d'un ton plus creux.
Sois la cornemuse où l'air entre
Et d'où sortent des chants heureux.

Ô cornemuse trop gonflée
Dont la peau pète sous le bras,
Un jour dans ta chanson sifflée
Comme un son faux tu partiras.

Tu partiras sans qu'on en pleure !
De ceux que tu pus amuser,
Pas un seul à ta dernière heure
Qui ferme tes yeux d'un baiser.

Sans drap de toile ou de percale,
Pour tout linceul tes pauvres os
N'auront que ta chemise sale
S'il t'en reste une sur le dos.

Pourris dans la fosse commune,
Ô fou, ton dernier cabanon !
Personne, pas un et pas une,
Ne se souviendra de ton nom.

Voilà ma vie, o camarade !
Elle ne vaut pas un radis.
Ça commence par une aubade,
Ça finit en De Profundis.

La morale de celle histoire,
C'est que mon feu meurt. On t'attend,
La bise est aigre, la nuit noire ;
Donne-moi deux sous, et va-t'en.

J'ai mal fait. Tu feras de même.
J'ai bien tort de te conseiller.
À l'âge où l'on chante, où l'on aime,
Mange ton pain blanc le premier.

Vouloir mettre une martingale
Aux jeunes, pour qui tout est neuf,
Autant ferrer une cigale,
Plumer un chat, ou tondre un œuf.

Leur offrir la pauvre sagesse
Quant de folie ils ont les biens,
Qu'est-ce, sinon faire largesse
De soupe aux bœufs, d'avoine aux chiens ?

Il disait vrai. Sa vie, hélas ! sera la mienne.
Comme lui, j'ai tenté la route bohémienne.
Je m'en vais en chantant dès le lever du jour,
Par les prés de l'espoir, par les bois de l'amour,

Et le long de ta haie en fleurs, verte jeunesse.
Quand un plaisir est mort, j'attends qu'un autre naisse,
Et prends celui qui vient sans voir celui qui part.
À maint joyeux banquet j'ai bonne et large part,
Et d'espoirs capiteux à loisir je m'enivre.
La rime est un jupon ; je m'amuse à la suivre.
Je l'accoste ; la fille en route se défend ;
Bah ! derrière un taillis je lui fais un enfant,
Et je m'en vais après vers une autre chimère
Laissant sur mon chemin et l'enfant et la mère.
Je suis jeune aujourd'hui, gai, fantasque, fougueux.
Mais je sais que je dois finir comme ce gueux.
Notre sentier fleuri s'achève en pente rude
Dans un désert peuplé d'amère solitude.
Et peut-être qu'un jour, lorsque l'âge outrageant
À mes cheveux d'ébène aura mêlé l'argent,
Quand je n'aurai plus rien à jouer de mon rôle,
Quand les hommes, après m'avoir trouvé très drôle
Ou très grand, trouveront que je suis ennuyeux,
Quand mes rimes aussi diront que je suis vieux,
Alors, sans feu ni lieu, courbant ma tête altière,
J'irai m'asseoir tout seul dans quelque cimetière,
Par une nuit sans lune et par un temps glacé,
Et là, je raillerai moi-même mon passé ;
Et parlant d'une voix cyniquement mordante
Sous le vent du malheur à l'haleine stridente,
Las d'avoir tant marché, triste d'avoir vécu,
De mes espoirs défunts je chaufferai mon cul.

GLOSSAIRE ARGOTIQUE

AVERTISSEMENT

Ce serait une œuvre curieuse à faire et terrible à entreprendre, qu'un véritable et véridique dictionnaire d'argot. Pour la partie historique, pour l'étymologie et en quelque sorte la philosophie des vocables, il ne faudrait pas moins qu'un Littré, consacrant à cette besogne des trésors de science et de patience. Pour les définitions précises et les sens actuels des mots en usage, il faudrait un observateur consumant sa vie dans les milieux étranges et souvent peu accessibles où l'on parle cette langue infiniment variée et renouvelée incessamment. L'auteur du dictionnaire d'argot devrait donc être à la fois le plus consciencieux des rats de bibliothèque et le plus audacieux des batteurs de pavé. Un pareil homme ne saurait se rencontrer, j'imagine, et, en tous cas, ce n'est certes point votre serviteur qui aura jamais la prétention de se donner pour ce merle blanc.

Tout ce que j'ai voulu faire ici, c'est offrir aux lecteurs de la *Chanson des Gueux* la traduction fidèle des termes argotiques employés dans ce livre. J'ai même poussé la réserve et le scrupule jusqu'à noter *seulement* la *nuance particulière* sous laquelle je prenais chacun de ces termes, cela sans plus, sans me préoccuper des autres acceptions qu'il pouvait avoir. Mais, en revanche, j'affirme hautement que tous les sens présentés par ce glossaire sont rigoureusement exacts, puisés à la bonne source, à la seule bonne, c'est-à-dire recueillis de la bouche même des gens qui s'expriment en argot aussi naturellement que nous nous exprimons en français. Le mérite est plus rare qu'on ne croit, et, si mince qu'il puisse paraître, je n'hésite pas à en tirer quelque orgueil.

À ce mérite, d'ailleurs, il y a une excellente raison, sur laquelle on me permettra d'insister : c'est que les poèmes écrits par moi en argot n'ont pas été composés à coup de lexique. Il en faut excepter toutefois les deux sonnets où j'ai tâché d'enchâsser un échantillon de l'argot classique, qui a flori de Cartouche à Vidocq et dont ce dernier a laissé le vocabulaire. Mais, à part ces vingt-huit vers, élaborés à la façon des vers latins qu'on fait au collège, toutes mes chansons du pays de Largonji ont chanté dans ma tête comme des choses vécues, au cours ou au retour de mes visites à ce pays bizarre, et elles sont venues au monde telles quelles, costumées à la mode de leur pays, avec leur défroque originale, sans que j'eusse besoin de les rhabiller au décrochez-moi-ça des dictionnaires. Il n'y a point là un caprice d'érudit. C'est bien une nécessité qui s'imposait à l'inspiration de l'artiste. Si j'ai rimé des pièces dans cette langue, c'est que je les pensais dans cette langue et que je la parle couramment.

Cela soit dit en témoignage de ma sincérité et pour l'édification des lexicographes.

J. R.

Milton Keynes UK
Ingram Content Group UK Ltd.
UKHW031817210923
429112UK00009B/395